なぜ
最先端のクラウド企業は、日本一の社員食堂をつくったのか？

JBS社長
牧田幸弘

いからしひろき取材・執筆

発行：日刊現代　発売：講談社

はじめに

システム会社の社長は、なぜ居酒屋のような社員食堂を作ったのか?

東京・港区にある虎ノ門ヒルズ森タワー。複合施設「虎ノ門ヒルズ」の中核を担うそのオフィスビルは、高さ247メートル、都内の超高層ビルでは一、二を争う高さです。近くに行って見上げてみると、その迫力たるや……。「やっぱり東京はすごいなあ」と、地方から出てきて30年以上もたつのにそう思ってしまいます。そんな東京の象徴ともいえるこのビルの16階と17階に、日本ビジネスシステムズ㈱(Japan Business Systems, Inc.)、通称「JBS」はあります。

「JBS? 聞いたことがない社名だな」――そう思った読者も多いと思います。それもそのはず、JBSは企業向けにクラウドシステムサービスを提供する会社。IT企業といっても、いわゆるBtoBの会社なので、一般の人にはあまり接点がありません。しかし、2022年8月2日には、創業32年目にして初めて株式上場を果たし、また同じ頃から地上波テレビでCM放送も始まったので、少しは知名度が上がっているのではないでしょうか。それでも、一般的にはまだまだ無名なこの会社を、一冊の本にまとめようと思ったのには、3つの理由があります。

1つ目は、インターネットという文明の利器が黎明期から現在に至るまで、いかに世の中に普及してきたのかを、オフィスの視点から俯瞰《ふかん》してみたかったから。JBSの創業は1990年。港区芝の小さな雑居ビルの一室で、机一つからスタートしました。その時は、企業にパソコンや社内回線のシステムなど（まだインターネットやスマホはなかった）を販売する仕事を行っていました。それが、世の中の技術が進歩するに伴い、インターネットになり、クラウドになっていった……というわけです。つまり、JBSの歴史は日本のビジネスシーンにおけるインターネット活用の歴史と重なるのです。

ちなみに1990年は何があったかというと、中東のイラクが隣国のクウェートに侵攻したことによる湾岸戦争、東西ドイツの統一、アメリカとソ連（現・ロシア）の戦略兵器削減交渉などです。日本では、前年亡くなった昭和天皇の後を継ぎ現在の上皇陛下が即位されています。社会史的にも大きな転換点といえる時代でした。

なお、１９９０年からの30年間は、日本にとっては「失われた30年」とも言われています。日本の経済成長が長期にわたり停滞し、先の見えない不安の中で、その日の生活や進学、就職に苦労した人もたくさんいました。就職氷河期という言葉が生まれたのもこの頃です。80年代のバブル最高潮の頃にはニューヨークの一等地のビルを買い占めるほどの力を持っていた日本企業も、すっかり影を潜めたままです。

この本を書こうと思った理由の２つ目は、そんな失われた30年の中で、経営者はどのように生き残ってきたのかを知りたかったから。日本ＩＢＭという大企業を単身飛び出したＪＢＳ創業者の牧田幸弘氏は、独立直後にバブル崩壊、２０００年代にはＩＴバブル崩壊、リーマン・ショックなど数多くの危機に見舞われても、その都度乗り越えてきました。その手腕は、生え抜きの社員からして「神ってる」と言わしめるほど。偶然に思える出来事にも何かしらの理由があるはずです。それを明らかにしたいと考えました。

そして3つ目が、会社という「場」の存在意義を改めて考えてみたかったということ。ご存じの通り2020年代に入って、世の中は再び大きく変わろうとしています。世界的なコロナ禍の影響で人々が顔を見合わせて食事をしたり、勉強や、仕事をするという当たり前の日常を送れない時期が3年も続きました。その代わり、自宅など離れた場所にいても、会話や勉強、仕事ができるリモート生活が手に入りました。人類はリアルで会えるという自由を失った代わりに、「場所」に縛られる不自由から開放されたとも言えます。しかし、それでは「心」が満たされないということを世界中の多くの人が実感しました。だからこそアフターコロナを迎えた今、人々は再びリアルの「場」に集まり始めています。オフィスに人が戻り始め、仲間同士が顔を突き合わせて仕事をする喜びを噛み締めています。人が集うことの価値が社会全体で見直されているのです。

そうした「場」の役割を、コロナ禍以前から気づき、実際の場作りに奮闘してきたのがJBSの牧田社長です。彼は、2014年に虎ノ門ヒルズ森タワーのオフィスに引っ越してきたのと同時に、「Lucy's CAFE & DINING」（以降ルーシーズ）という社員食堂を作りました。

この社員食堂がまたユニークなのです。カフェバーのようなおしゃれな空間で、手間ひまかけて作られた日替わりのランチが食べられるほか、夜は街中の飲食店に負けない手作りの食事やアルコール類がリーズナブルに楽しめます。希少なワインや日本酒とともに一流シェフが腕によりをかけたコースディナーを味わうこともできます。ここに初めて来た人は、皆一目見るなりこう言います「ここは本当に社員食堂ですか？」と。

なぜ、牧田社長は、ここまで立派な社員食堂を作ったのでしょうか。それも時代の最先端を行くＩＴ企業が、です。正直やり過ぎのようにも感じます。実際、計画を立てた時は社内の役員のほとんどから反対されたそうです。それでも牧田社長は作ってしまった。何より驚くのは作ってからずっと会社の売り上げがいいのです。ルーシーズが出来る前の２０１３年と比べて２０２３年はなんと４・８倍。これは単なる偶然なのでしょうか。

いま、「人的資本経営」という言葉がビジネスの現場ではホットワードになっています。人材を「資本」＝財産と捉え、その価値を最大限に引き出すことが中長期的には企業価値向上につながるという考え方です。英語でHuman Capital。人材ではなく「人財」と書いたりもします。まあ簡単に言えば、社員の誰もが力を発揮できる会社が最強！　というこですからね。一人ひとりが成長していけば、その集合体である会社も、おのずと成長していくはずと。

では、どうすればそんな会社を作ることができるのか。そういう会社で働くことができるのか。その答えがＪＢＳの社員食堂にあるのではないかと考えたのです。それが３つ目の理由です。

単なる福利厚生施設と思うなかれ。この社員食堂には誰もが取り残されず幸せに働いていくためのヒントがよりどりみどり。まるで自慢のランチやディナーのメニューのように。本当は実際に足を運んで自分の舌で味わってほしいのですが、あいにく関係者以外は利用できません。まずはこの本の紙上試食会で我慢してください。

今回、本書を執筆するに当たり、牧田社長をはじめ、創業初期のメンバーから入社１年目の若手社員まで、数多くのＪＢＳ関係者にインタビューしました。それによって得られた波瀾《はらん》万丈のエピソードや生の声が、経営者という「人」だけでなく、会社という「場」で働く全ての人たち――特にこれから社会に羽ばたこうとしている就活生やその親御さん、キャリアアップのために転職を考えている若いビジネスパーソンの方々に、少しでも役に立てば幸いです。

CONTENTS
目次

第1章 JBSのもっとも熱い日

第2章 夢のような福利厚生

第3章 顧客ファーストの会社を

第4章 信頼をバネに大きな飛躍

第5章 クラウドの過去・現在・未来

付録

第1章

JBSのもっとも熱い日

遅咲きの大型ルーキー登場

マイクロソフトのクラウドサービスの導入とサポートを手掛ける日本ビジネスシステムズ㈱（以下ＪＢＳ）が東証スタンダードに上場した——日本経済新聞がこう報じた２０２２年の８月２日、東京・日本橋兜町のシンボルである東京証券取引所は活気に包まれていました。ＪＢＳの初値は公開価格の１５２０円を２割も上回る１８２７円を記録。同社が上場した２０２２年９月期の売上高は８６３億円、２０２２年上半期の新規上場企業の売上高トップが約３００億円であることを考えると、いかに大きな会社の上場だったか分かります。前年の２０２１年を見渡しても、ＪＢＳを超えていたのは２社だけ。いずれも東証再編でプライム市場に組み込まれている大企業です。

2022年8月2日、上場セレモニーに出席した牧田氏と役員ら

恒例の上場記念打鐘を鳴らす牧田氏

ＪＢＳが上場を果たしたのは、１９９０年の創業から実に32年目のことです。ここまで時間がかかるケースはそう多くありません。実は上場を記念して夕刊タブロイド紙・日刊ゲンダイが特別に編纂した「上場記念特別号」の記事の執筆を筆者が担当しており、その表紙の大見出しにこう書きました。〝遅咲きの大型ルーキー登場に市場は熱い視線と大きな期待〟と。ＪＢＳにとってもこの日はもっとも〝熱い日〟となったに違いありません。なおこの上場記念特別号には、上場当日のルポが掲載されています。どんな様子だったのか一部紹介すると――。

■社長の牧田氏は、この日の8時半過ぎに、主幹事の三菱ＵＦＪモルガン・スタンレー証券本社で上場セレモニーに出席。株式市場が開く9時に合わせ、参加者一同で板の更新を見守った。しかし、直ぐには初値がつかず。これは買い気配の好スタートである。しばらく見守り続けたが、結局初値がつかぬまま、牧田氏は東京証券取引所へ向かった。

■移動中の9時36分にようやく初値をつけたのを確認し、一安心した牧田氏。その足で東京証券取引所に入り、投資家向けニュースメディア「ストックボイス」へ生出演した。

事業内容や今後の成長戦略を自らの口で説明。社員もオンラインで放送を見守る中、時間ぴったりで無事終了した。

■その後は、当日のメインイベントである上場セレモニーに出席。セレモニーは東京証券取引所の情報提供スペース「東証アローズ」で行われた。コロナ禍の影響で上場会社からの参加者は8名、見学者は10名に限定されたが、出席できなかった社員は社内配信でセレモニーを見守った。

■牧田氏は、上場通知書を渡された瞬間は緊張を隠せない様子だったが、恒例の上場記念打鐘では満面の笑顔で2回打ち鳴らし、鐘の音を響かせた。

■午後には、主幹事のみずほ証券でセレモニー。そして市場が閉まる15時を待って、東証内の記者クラブ「兜倶楽部」で記者会見を行った。そこで牧田氏は「我社を世の中に広く知って頂いたと実感した。準備している成長戦略を着実に実行し、本当に良い会社だと認めて頂けるよう頑張りたい」と、上場の喜びと今後の抱負を語った。

いかがでしょう。手前味噌ですが、経営者の誰もが夢見る株式上場の期待と興奮が伝わってきます。上場当日は番組収録や記者会見など、さまざまな行事が立て続けに行われるということは私も初めて知りました。売れっ子芸人顔負けの忙しさです。テレビでよく見る鐘を打ち鳴らす儀式も、ぜひ一度やってみたいものです。

2022年4月に市場区分再編成があった東京証券取引所ですが、この年は91社が上場を果たしました（TOKYO PRO Marketは除く）。

JBSが上場した東証スタンダードは10社、東証プライムは2社、残りの大多数が成長企業向けの東証グロースなどへの上場でした。そんな中でも、売上高800億円を超える企業が新規上場を果たしたことの経済社会的インパクトは少なくなかったに違いありません。それは公開価格を2割も上回った初値が物語っています。

しかし、なぜ今このタイミングだったのか？　この点については大きな疑問が残ります。なぜ創業してから32年もたった2022年だったのか——。

これまで通りでいいなら上場の必要はなかった

牧田氏はこう語ります。

「ずいぶん時間がかかったのは確かです。しかし、今まで上場しなかったことに特別大きな理由はありません。お客さまには恵まれていたし、社員の採用も順調にできていました。金融機関も強力にバックアップしてくれていました。強いて言えば、今まで上場する必要性をあまり感じなかったということです。ただし、これまで通りでいいなら、という条件付きですが――」

顧客に恵まれ、採用も順調、金融機関のバックアップも強力。そう聞けば、確かに上場する必要はなさそうです。

ここで、WEBに記載されている直近の一部顧客とのプロジェクトを紹介します。

㈱カプコン ⇕ セキュリティー対策強化

世界有数のゲームメーカー。「モンスターハンター」や「バイオハザード」など国内外に数多くのファンを抱えるゲームシリーズを開発・提供し、キャラクターグッズやアニメなど多面的にコンテンツを展開。そのほか遊技機の製造やアミューズメント施設の運営なども幅広く行っている。同社は以前からセキュリティー対策強化に注力していたが、より高度な対策、保護水準の強化に取り組むため、全社的なセキュリティー対策改善に乗り出した。特に重要な情報資産が集約されるゲーム開発部門では、独自の施策チームを結成、JBSの全面的なサポートを受けながら抜本的な対策強化を進めている。

日本テレビ放送網㈱ ⇕ 業務特化システムの開発・内製化

地上波やBS・CS放送をはじめ、インターネット配信など、あらゆるプラットフォームを活用し、多様で良質なコンテンツを提供。2011年から11年連続で年間個人視聴率三冠王を達成（ビデオリサーチ調べ、関東地区、個人視聴率）した放送事業のトップカンパニーだ。グループとして、健康関連事業や教育事業など新たな領域にも積極的に事業を拡大している。同グループでは日本テレビを始めとするグループ企業に最適なITソリューションを提供するため、日本テレビとJBSの出資により、株式会社日テレWandsを設立。放送局という業界の現場視点を持つIT人材が、グループの戦略を具現化する業務アプリケーションやインフラの開発・運用を担っており、報道番組制作の支援や、営業・放送業務の支援など、各基幹システムの開発を内製で実現するなどしている。

花王㈱ ◆ 働き方改革

「きれいを こころに 未来に」をコーポレートメッセージに、顧客と感動を共有できるような製品やサービスを提供する日用品大手。「ハイジーン&リビングケア」「ヘルス&ビューティケア」「ライフケア」「化粧品」の4つの事業分野で、生活者に向けたコンシューマープロダクツ事業を展開。さらに「ケミカル」事業においても、産業界のニーズにきめ細かく対応した製品を幅広く展開している。同社では、在宅勤務など新しいワークスタイルにおいても社員が安心して働くことができる環境を確立する取り組みの一環として、Microsoft Azure※1とMicrosoft Power BI※2を活用した「働き方見える化」に取り組んでいる。

本田技研工業㈱ ⇔ 顧客接点強化

四輪車メーカーとしてだけでなく、二輪車、航空機、建設機械や農業機械向けの汎用エンジンなどをグローバルに展開。カーシェアリング事業をリニューアルするにあたり、アジャイル型の開発アプローチにより、クラウドのメリットを最大限に生かしたサービスプラットフォームを構築。多様なサービスや機能を展開し、顧客との関係性を強化しながら、機能やサービスの追加や変更などにも柔軟に対応できるシステム基盤をＪＢＳとともに構築した。

㈱集英社 ⇔ 業務効率化

来たる２０２６年に創業１００周年を迎える大手総合出版社。創業以来、漫画誌、ファッション誌、ジャーナル誌などの雑誌をはじめ、文芸書や文庫、新書から、美術書、写真集、辞・事典まで、多様な分野を手がけている。同社では、従来の紙媒体の出版だけでなく、デジタルコンテンツや海外市場における売り上げなど多岐にわたる販売データのサイロ化が課題となっていた。そのため、必要なとき、必要な形で販売情報を分析するためのデータ分析基盤を、Azure Synapse Analytics※3およびMicrosoft Power BIをベースに構築し、今後のDXに向けた土台作りを、JBSが中心となって実現した。

セガサミーホールディングス㈱ ◆生成AI活用による業務効率化事例

2004年にセガとサミーが経営統合して誕生した総合エンタテインメント企業グループ。「感動体験を創造し続ける〜社会をもっと元気に、カラフルに。〜」をミッション／パーパスとして、「エンタテインメントコンテンツ事業」「遊技機事業」「リゾート事業」を柱とするビジネスを展開している。同社では、グループ全体のデータ活用をさらに前進させるべく、いち早く生成AIの活用に乗り出した。クラウド上の閉域環境でAIモデ

※1　マイクロソフトが管理するデータセンターを通じて提供されるクラウドコンピューティングサービス。
※2　セルフサービスとエンタープライズビジネスインテリジェンス（BI）に対応した、スケーラブルな統合プラットフォーム。あらゆるデータに接続してビジュアル化し、そのビジュアルを普段使い慣れたアプリにシームレスに取り込める。
※3　エンタープライズSQLデータウェアハウスとビッグデータ分析サービスが一つになった制限のない分析サービス。

ルを運用する「Microsoft Azure OpenAI Service※」をベースに、グループ内15社6000人超のユーザーが安全かつ快適に生成AIを活用できる環境を、実質わずか3カ月の短期間で構築。将来的にはグループ全社への普及を目指している。

いずれも日本を代表する大手企業ばかりです。業種も、ゲーム、放送、消費財、自動車、出版と多岐にわたります。しかし、牧田氏の最後の一言が気になります。「これまで通りでいいなら」。これはどういう意味なのでしょうか。さらに牧田氏は語ります。

「今、当社の事業におけるクラウドの比率が高まってきています。当社の大手企業のお客さまからもクラウドシステムの導入を求める声が年々増えています。それに私たちが応えていくには、上場することで認知度を上げ、優秀な人材を多く確保すること、すでにいる人材の流出を防ぐことが重要でした。そしてお客さまのニーズに応えていくことでさらにレベルを上げていき、お客さまにふさわしい企業にならなくてはならないのです」

※ Microsoft Azure 上で ChatGPT や GPT-4 をはじめとする多様な生成AIモデルが利用できるサービス。

お客さまにふさわしい企業――これは「社格」のことだと言えます。広辞苑によれば、「会社の格」と書かれています。これは会社の「格付け」と言い換えたほうがわかりやすいかも知れません。大手企業・中小企業・零細企業という売り上げや資産の規模を基準とした分け方とは別の、会社の人格による分類方法です。

この「社格」は、投資家向けの限られた格付けと一線を画するものです。人間の人格が収入や評判のみで語れないのと同じことです。かといって、社会への影響を考えると「あの人は人格に優れている」というふうに、単なる印象で語られてよいものでもありません。

そう考えると、上場企業か非上場企業かというのは、非常に信憑《しんぴょう》性の高い格付けといえます。日本取引所グループによれば、２０２４年1月31日現在、日本の上場企業数は３９２８社。４００万社を超える日本の企業数を考えると非常に狭き門です。また、上場するには証券取引所が設けたさまざまな基準を満たさなければなりません。私がこれまで行った企業インタビューにおいても、多くの社長が上場時の苦労を話しています。また、上場企業は情報開示により経営の透明性が求められるので公共を意味するパブリックカンパニーとも呼ばれます。非上場企業はどんなに規模が大きくともプライベートカンパニーと呼ばれることを考えると、上場企業の「格の高さ」がうかがいしれます。上場企業は一目置かれますし、だからこそ経営者の多くが上場を目指すのです。

しかしJBSは、2022年8月2日以前未上場会社でした。それでも数々の大手上場企業と取引口座を持ち、仕事をともにしてこられたのは、同社の実績が認められていたからにほかなりません。これがいかに特別なことかは、牧田氏本人がコメントしています。

「(非上場なのに大手上場企業と取引してきたことは) 非常に幸運なことです。お客さまの経営トップから〝これからも頼むよ〟と期待の声もかけてもらっています。しかし、それに甘え続けるわけにはいきません。期待が限界に達する前に、お客さまのニーズにしっかり応えられるように成長し、体制を強化して、取引するのにふさわしい会社になる必要があったのです」

取引するのにふさわしい会社——それは最低でも「上場企業」という社格を得ることを意味したのです。

クラウドの先駆けであることの強み

ところで、なぜＪＢＳはこれまで未上場でありながら、多くの大手上場企業と対等に取引ができたのでしょうか。その理由は、大きく分けて２つあると考えます。１つは、同社がクラウドの先駆けのシステム会社であるということです。

ご存じの人も多いと思いますが、前提として説明しておくと、クラウド（Cloud）とは、英語で雲、雲状のものを意味する言葉で、それが転じてネットワーク上にあるコンピューターやシステムのことをこう呼んでいます。語源は、技術者が図面上でネットワークを表す時に雲の形を使っていたとか、ネットワーク上のコンピューターは目で見ることができず、雲の上の存在のようだからとか諸説ありますが、いずれにしてもインターネットが高速化、仮想化技術が向上した２０００年代後半から普及し始めた、比較的新しい情報通信技術です。

クラウドコンピューティングの最大のメリットは、最新のアプリケーションをインターネット経由で気軽に利用できるところにあります。サーバーなどのハードウエアを独自に持つ必要がないので、物理的なスペースが不要になります。導入にかかる初期費用も比較的少なく済みます。

なお、クラウドの反対語が「オンプレミス（on-premises）」です。プレミス（premises）とは、建物・店舗・施設を意味する英語です。そこにonが付くので、直訳すれば「施設内で」という意味になります。転じてＩＴ業界では、サーバー機器などのハードウエアやソフトウエアを使用者の施設内に置いて運用することを表すようになりました。

かつて企業が自社でシステムを運用するといえば、このオンプレミス型しかありませんでした。ハードとソフトを全て自社で導入する必要があるのでイニシャルコストは非常に高くつきました。その費用はどの会社でも捻出できるものではありません。今ではクラウドが普及し、個人でも最新のシステムを比較的リーズナブルに利用することができるようになったので、そうしたコスト面での心配は随分と減りました。

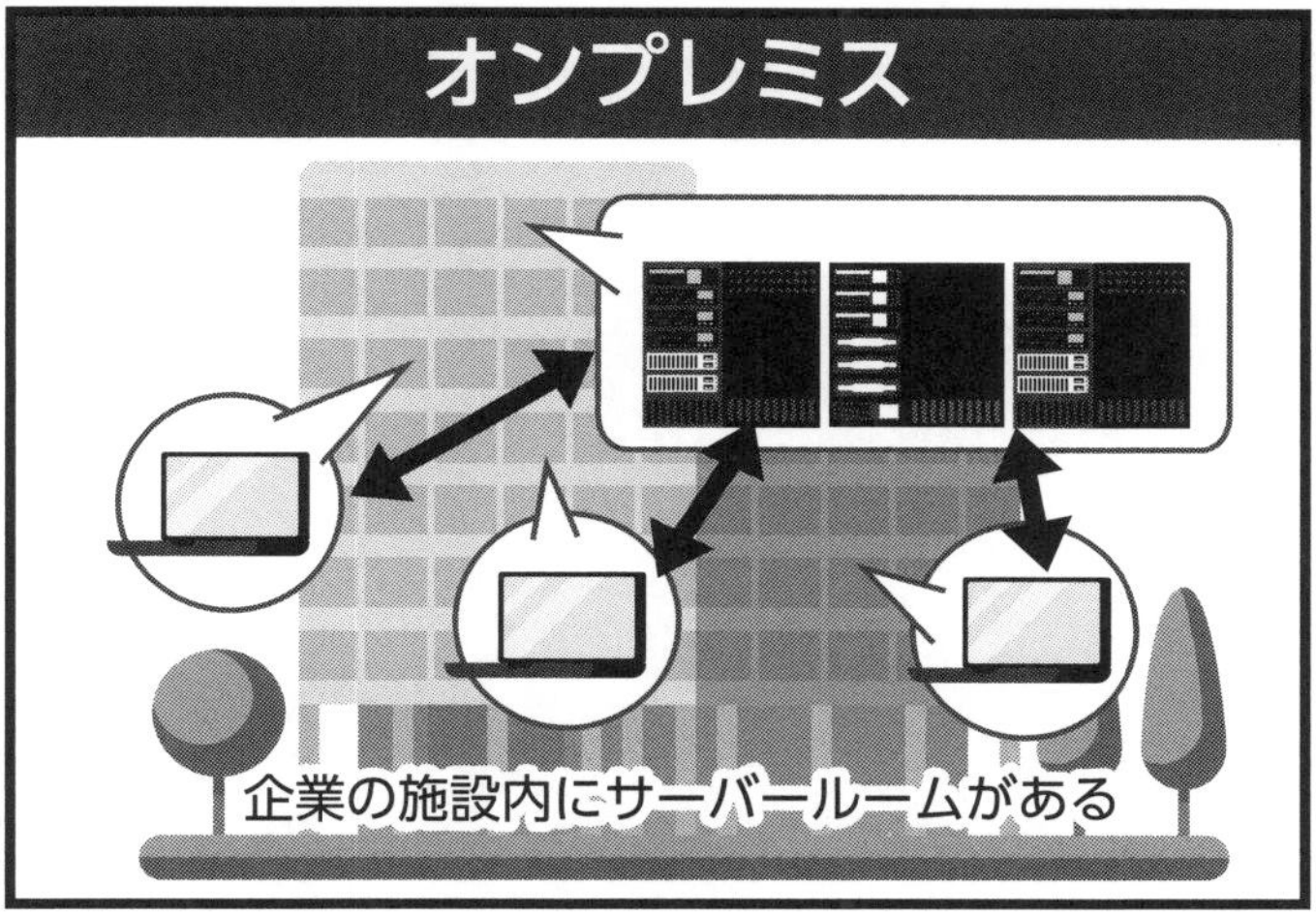
オンプレミス
企業の施設内にサーバールームがある

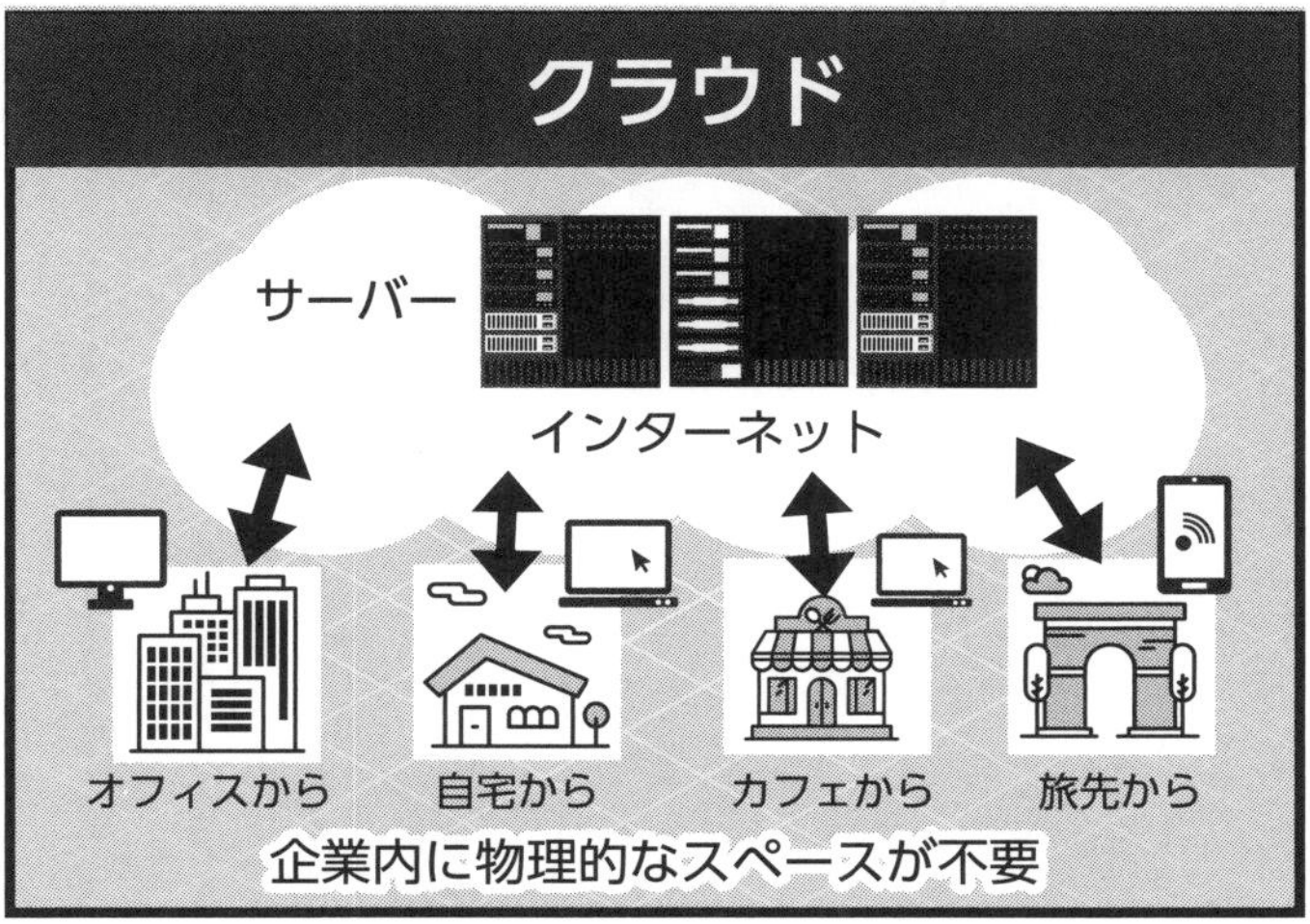
クラウド
サーバー
インターネット
オフィスから
自宅から
カフェから
旅先から
企業内に物理的なスペースが不要

そのため、オンプレミスのシステムは減少の一途をたどっています。しかし全体的な数でいえば、いまだに自社のコンピューターで動かすシステムのほうが圧倒的に多いといわれています。また、データ移行の難しさなどから、例えば金融機関などの基幹システムにおいては現在でもオンプレミス型が主流です。

こうした既存のオンプレミス環境をクラウドへ移行することを「クラウドシフト」、そして、新たなシステムの構築をクラウドベースで進めていくことを「クラウドファースト」と言います。前述した通り、多くの会社が取り組み始めていますが、オンプレミスで運用してきた企業にとって、クラウドへの移行は課題が多いのも現実です。

クラウド移行の際には、どのようなセキュリティー対策が必要なのか、社内でクラウドの知識を持つ人材をどのように育成したらよいかなど、検討事項が山積みで、導入の決断が思うように進まないというケースが多いと聞きます。従来のオンプレミスで実施してきた運用をクラウド上でそのまま実現しようとすると想定外のコストがかかることや運用負荷が増加することも、クラウドサービス導入時の課題として挙げられています。古いテレビや冷蔵庫を省エネ対策の最新機種に買い換えるようには簡単にいかないということです。

移行が難しいということは、ＪＢＳのようなクラウドシフトを支援する会社にとっても同じ。移行時における顧客企業のデータの安全性を担保しながら移行後の事業の成果も保証しなければなりません。せっかく費用をかけてクラウド化したのに「使い勝手も仕事の効率も以前より落ちた」となっては本末転倒です。そうなると、サポートする側にも当然専門的な知識が必要となります。最新のテレビや冷蔵庫を家電量販店で買う時は、より詳しい店員からアドバイスが欲しいと思うのは当然でしょう。

その点、ＪＢＳはクラウド黎明期から取り扱いをしてきたために、ノウハウや実績が豊富です。一方でオンプレミスに関する知識・実績も充実していて、クラウドとオンプレミスの両方に対応できるのです。企業もクラウドかオンプレミスかどちらかに絞るということはしておらず、両方の良いところを活用した「ハイブリッド型」で構築するケースがほとんどです。ＪＢＳは両者のメリットを理解した上で、ハイブリッドを推進することができる点が強みです。

なお、同業他社は、このようなフレキシブルな対応をしてこなかったために、最近になってようやく取り組み始めたばかりで、新興の同業他社はクラウド専業でオンプレミスに詳しくないケースが想定されます。つまり、クラウドもオンプレミスも両方わかるJBSは、非常に優位性が高いのです。

技術力・信頼度は「世界基準」

JBSのもう一つの強みは、世界基準の技術を持っているということです。それについて述べる前に、システム会社のカテゴリーについて説明しておきたいと思います。

JBSはシステム会社の中でもシステムインテグレーター（System Integrator）と呼ばれる種類のIT会社です。システムインテグレーターとは、複数のITシステムを組み合わせて、クライアント企業に最適なソリューションを提供する企業です。

システムインテグレーターは、既存システムと新しい技術を統合し、アプリケーションやデータベースと連携させるための専門知識を持っています。日本の大手では、NTT

システムインテグレーター

顧客に最適なソリューションを提供

システムの
・受注 ・開発
・運用 ・保守

システム開発導入と、
その後の運用、保守を行う

システムベンダー

自社製品によるシステムの提供

特定の製品やサービスを
開発・販売

データ、富士通、野村総合研究所（ＮＲＩ）などがシステムインテグレーターの代表例です。これらの企業は、クライアント企業の要件に合わせてハードウエア、ソフトウエア、ネットワークなどのシステム構成要素を組み合わせて、最適なソリューションを提案し、実装します。

一方で、システムベンダー（system vendor）という業種もあります。システムベンダーは、主に特定の製品やサービスを開発・販売する企業です。システムベンダーは独自の技術や製品を提供し、顧客企業に対して自社製品に関するサポートやメンテナンスを行います。例えば、オラクル（Oracle）、ＳＡＰ、マイクロソフト（Microsoft）などがシステムベンダーの例です。オラクルはデータベース管理システムを提供し、ＳＡＰはＥＲＰ(Enterprise Resource Planning)※システムを提供、マイクロソフトはオフィスソフトウエアやオペレーティングシステム（ＯＳ）を提供しています。

※　企業の経営資源（ヒト・モノ・カネ・情報）を一元管理し、自動化や統合を行う事によって業務の効率化を目指す手法、またはそのために利用される業務ソフトウエア・システム。

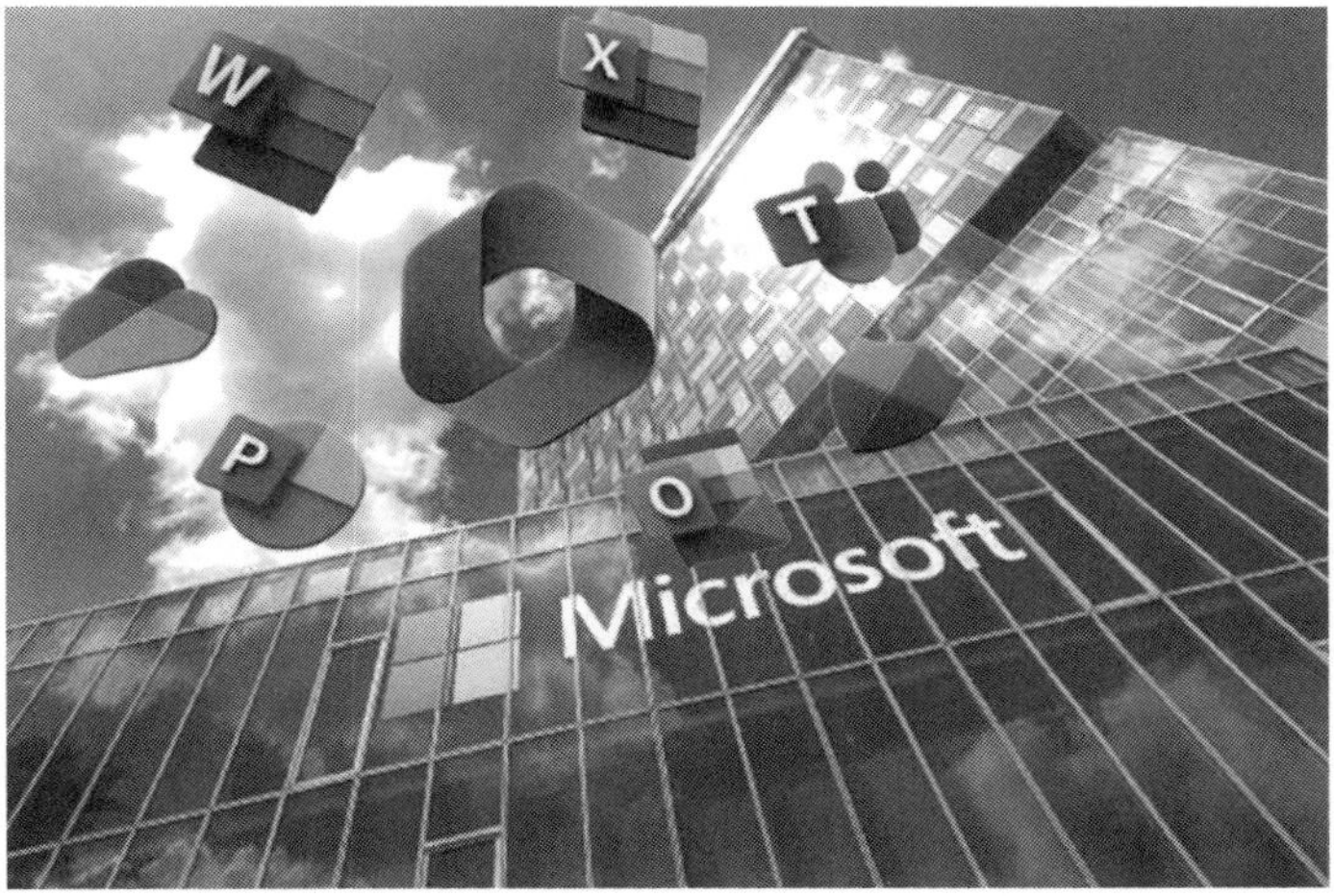

要約すると、システムインテグレーターは複数のシステムを組み合わせて最適なソリューションを提供する企業、システムベンダーは特定の製品やサービスを開発・販売する企業です。

ＪＢＳは数多くの世界的ベンダー企業とパートナーシップを組む〝マルチベンダーインテグレーター〟です。自動車でいうなら、トヨタも日産もホンダもマツダも、それどころかメルセデス、ＢＭＷ、フォルクスワーゲンなど、海外のメーカーのブランドも取り扱うディーラーのようなものです。中でも主となるパートナー企業がマイクロソフトです。これが、ＪＢＳが世界基準であることと大きく関わります。

マイクロソフトは、世界トップクラスのシステムベンダーとして広く認知されています。その根拠としては、まず「ＯＳ市場のリーダー」ということが挙げられます。ご存じWindows OSを開発・提供しており、世界中で使用されています。Windows OSは、市場シェアで圧倒的なリーダーであり、競合他社と比較しても高いシェアを維持しています。

さらに、「オフィススイート市場のリーダー」と言えます。マイクロソフトは、Microsoft Officeというオフィススイート（オフィス業務向けのソフトウエアをひとつにまとめたパッケージ）を提供しており、これも世界中で広く利用されています。Microsoft Officeには、Word（ワードプロセッサー）、Excel（スプレッドシート）、PowerPoint（プレゼンテーション）などのアプリケーションが含まれており、個人から企業まで幅広い層に利用されています。

そして、「クラウドサービス市場での競争力」です。Azureを提供しており、クラウド市場で高い競争力を維持しています。Azureは、インフラストラクチャ・アズ・ア・サービス（IaaS）※1、プラットフォーム・アズ・ア・サービス（PaaS）※2、ソフトウエア・アズ・ア・サービス（SaaS）※3を提供し、企業が柔軟にＩＴリソースを利用できるようにしています。AzureはAmazon Web Services（AWS）やGoogle Cloud Platform（GCP）

と競合しており、クラウド市場でトップのポジションを競っています。

最後に、「開発ツールおよびエコシステムの優位性」があります。Visual Studio※4やGitHub※5などの開発ツールやサービスを提供しており、開発者コミュニティーに広く利用されています。これらのツールやサービスは開発者がソフトウエアを効率的に開発・管理できるように支援しており、マイクロソフトのエコシステムが広がる一因となっています。

昭和生まれの筆者の脳裏には、1995年のWindows95の発売日に大勢のパソコンオタクが家電量販店に行列したニュース映像が目に焼き付いています。また長年自分自身の

※1　アプリケーション開発が可能な環境を提供する。
※2　ストレージやサーバーなど、基本的なインフラう部分だけを利用できる。
※3　メールソフト、オフィスソフト、顧客情報管理ソフトなど利用できる。
※4　マイクロソフトが開発・提供する、総合開発環境サービス。
※5　マイクロソフトグループであるGitHubが開発・提供する開発プラットフォーム。GitHub上で他の開発者と共同でソフトウエア開発を行うことができる。

パソコンでWordやExcel、PowerPointなどのOfficeソフトを愛用してきたため、どうしてもマイクロソフト＝個人向けというイメージが強くあります。

しかし、現在は、企業向けの会社といって間違いありません。特に大企業ほど導入が多いという印象です。筆者が知る大手企業の多くは、ウェブ会議にZoomではなくマイクロソフトのTeamsを用いています。それだけ信用度が高いということなのでしょう。

そしてマイクロソフトといえば、いうまでもなくＧＡＦＡＭの一角を担う超グローバルＩＴ企業です。Ｇ（グーグル）、Ａ（アマゾン）、Ｆ（フェイスブック＝現メタ）、Ａ（アップル）が主に個人向けサービスで成功しているのに対して、Ｍのマイクロソフトは法人サービスが稼ぎ頭です。そうしたことからも、マイクロソフトは世界一のシステムベンダーといって過言ではないでしょう。

最近では、自社のクラウドソリューションであるAzure、MicroSoft 365※に最新の生成ＡＩ技術であるCopilotを搭載。サティア・ナデラＣＥＯは、「ＡＩの波をリードするため

※ マイクロソフトが開発・提供する、Officeアプリをはじめとした生産性向上クラウドサービス。

Google
amazon
Facebook
Apple
Microsoft

に」数十億ドルに及ぶ追加投資と提携を行い、ＡＩの進歩を加速させていこうとしている。

ＪＢＳは、そんなマイクロソフトのソフトウエアを使ったソリューションの豊富な実績と、国内トップレベルの認定技術者を有しています。会社四季報でも「Azure／Microsoft 365 移行・運用支援の優良パートナー」として選出されています。

２０２２年4月には、Azureの高度な専門性を有するパートナーとして、全世界共通の評価基準に基づく厳正な審査に合格し、Microsoft Azureパートナーの最上位認定である「Azure Expert MSP」の認定を受けました。これは、世界で１３０社、日本では十数社しか保持していない資格です（２０２３年10月時点）。

つまり、世界一のマイクロソフトと強固なパートナーシップを組んでいるＪＢＳのサービスの技術力と信頼度もまた世界基準であると言えます。それが、非上場企業でありながら多くの上場企業と取引を重ねることができた主な理由の一つだと考えます。

全ての新入社員にクラウドの資格を取得させる意味

この強みを維持するために、ＪＢＳでは新入社員への技術研修に力を入れています。同社は技術職、営業職、コーポレート職の3職種で採用を行っていますが、全ての職種の新人研修で、Microsoft 社の認定資格であるAZ-900の取得を必須としています。AZ-900とは、Microsoft Azureの基礎であり、Fundamentals（初級）レベルの資格です。これを取得すると、MicrosoftのクラウドサービスAzure全般の基礎知識と、それらのサービスがMicrosoft Azureでどのように提供されるかを理解していることを証明できます。クラウドの入門編といえる資格ですが、軽く数時間学んで受かるレベルではありません。無料の独学用コンテンツ「Microsoft Learn」などを使った学習時間の目安は一般的に20～30時間と言われており、それなりに手応えのある資格です。ＪＢＳでは、半年間行われる新人研修のうちの最初の2カ月間で、このAZ-900資格取得のための学習を実際にパソコンを触りながら行い、その後試験を受けます。1度目で合格できない場合は、何度でも挑戦可能で、最終的には全員の合格を目指します。

この資格取得について、新人研修を統括している人材開発部のTさんは、「新入社員が現場に入る際、最も苦労する点は専門用語の理解です。資格の勉強をすることで、少なくとも基本的な用語についての理解が得られるので、その知識を持って現場に入られるという点で、資格を取得する意味は大きいと感じます」と言います。しかし、技術職や顧客と直接対話する営業職ならいざしらず、人事や総務などバックオフィス的業務を主に行うコーポレート職で採用した新入社員にも学ばせる理由は何でしょうか。再び、Tさんはこう言います。

「たとえコーポレート職であっても、私たちがビジネスとして取り組んでいる領域についての知識は必要ですし、実際の現場で直接使う機会がなくても、基本的な理解は持っておくべきです。というのも、現場の人たちと会話する機会はあるからです。例えば、各部門がどのような業務を担当しているのか、その知識があるかないかで、社内でのコミュニケーションの質は大きく変わります。さらに、研修についてもう一点、狙いがあります。研修は受動的な学びが中心になりがちですが、受講者が自分で主体的に勉強し、試験を受けて合格する経験を通じて、主体的な取り組みを研修の中でも体験してほしいと考えています。そのため、この研修は全員に必須としています」

２００人規模の新入社員に対し、一人ひとりが自由に端末を操作できる環境を用意し、講師が指導しながら、職種の垣根を越えてこうした技術資格の取得を目指せる研修は珍しいといえます。当然ながら受験費用も全て会社持ちです。なお、最初の2カ月の研修の後は、職種ごとに分かれての専門的な研修となります。技術職の中でも主にシステムのインフラ面を担当するＩＴソリューション職と顧客対応の営業職は、AZ-900に加え、MS-900という資格を取得。技術職のうちアプリケーションやミドルウエアの開発、運用保守を担当するビジネスソリューション職は、同じくMB-910（CRM）、MB-920s（ERP）、PL-900という、より細分化した技術と知識を要する資格の研修を行います。

「当社は、Microsoft 365の領域をビジネスの中心としています。業界での我々の強みもこの領域にあります。そのため、営業を含め、全てのスタッフにその知識をしっかりと習得してもらうようにしています。とはいえ、知識のインプットだけで成果を出せるほどエンジニアの仕事は甘くありません。最低限の知識の武装をした状態で現場に行き、ＯＪＴ含めて経験を積みながら、一人前になっていくというステップが必要です。研修が終わったから即戦力というわけにはいきませんが、加速的に成長できるよう、基本的な準備を研修期間でしっかりと習得してもらい、スムーズに立ち上がれる状態で送り出すのが私たちの一番の役割です」（Tさん）

ソリューションビジネスは人が全て

さて、本題に戻りましょう。そのように、これまで多くの企業から信頼を勝ち取り、社長をして「上場の必要を感じなかった」と言わしめるほど安定経営を続けてきたJBS。それが創業32年目にして株式上場を決断したのは、体制の強化、具体的には「人」の強化です。その理由は、システムインテグレーターとしての仕事内容が、時代とともに変わってきたことにあります。

これまで、システムインテグレーターが行ってきた仕事（システムインテグレーション）は、大まかに言うと、顧客から「こういうシステムを作ってほしい」と言われたものを受注し、言われたまま作って納めるのが一般的でした。しかし、それではクラウド時代の変化のスピードにはついていけません。クラウドの強みは何といっても常に最新の機能を最高のコンディションで利用できるところです。新しいサービスも次から次へと生み出されていきます。それをどう利用し、会社の成果につなげるか。競合他社も同じようにクラウドを活用して新たな戦略を打ち出してきます。

そうしたスピード競争に打ち勝つことが、現代の企業には求められています。それはＩＴ企業に限りません。いまやどんな業種でもＩＴ活用は無縁ではないからです。食品を扱う商社も営業ツールにCRM（Customer Relation Manegement）※などを当たり前に活用しています。

※　顧客情報を管理・分析し、長期的に顧客と良好な関係構築に努め、顧客満足度の向上や取引関係の継続につなげる取り組みや、そのために利用されるシステム。

そのように超高速な変化の中にいるクライアント企業を機敏にサポートするには「頼まれたからやる」では遅く、顧客企業の中にシステムを運用・保守管理するチームを作り、会社の当事者としてリアルタイムで事に当たる必要があります。実際、ＪＢＳではシステムを熟知したエキスパートスタッフが顧客企業の社内に常駐し、サポートを行っています。

これについて牧田氏はこう言っています。

「そうしたチームを組成して、密に顧客サービスを展開していくには一人でも多く優秀な人材を集めることが重要で、今の体制では絶対的に人数が足りないのです。お客さまの期待に応えるには現在の２５００人体制を早急に３０００人へ引き上げることが急務で、さらに５０００人、将来的には７０００、８０００人へと拡大していく必要がある。もちろん頭数だけ揃えても意味がありません。一人ひとりが精鋭のプロフェッショナル集団です。それを実現するためには、非上場のままでは難しいのです」

つまり、上場によって手に入れたかったのは「人」なのです。これは何も特別な話ではなく、多くの会社に共通する戦略です。それを裏付けるデータがあります。

帝国データバンクが２０２２年に行った「株式上場意向に関するアンケート調査」によ

れば、上場の目的として最も多かったのは「知名度や信用度の向上」で68・4%でした。しかし、次いで多かったのは「優秀な人材の確保」で62・3%です。両者はほとんど変わらない数字です。さらに言ってしまえば、1位の「知名度や信用度の向上」も、「人」を得るための手段の一つです。牧田氏は続けます。

「世間一般に認知していただくことも上場の目的の一つです。今はシステムを使っていただいている企業のお客さまには知っていただけていますが一般の人にはほとんど知られていません。それですと、やはり採用には不利なのです。新卒の学生はまだIT枠として一括採用できますが、キャリア採用の方はそうはいきません。世の中を知り尽くした優秀な人材の会社選びの土俵に乗るには、上場企業でないと話になりません」

これからのソリューションビジネスの基盤が「人」であるという認識は、牧田氏一人の考えではなく、全社的なものです。JBSの役員も、次のように述べています。

「具体的にはお客さまの目的に対して最善なものを考える力を、より一層磨いていくことだと思います。そのためには、お客さまにとって正しいことは躊躇なく進言する強い意志と、お客さまからの信頼が欠かせません。それらはいくら机上で勉強しても身につくものではなく、現場でお客さまと向き合うことで培われるものだと信じております。（中略）最終的には、お客さま、パートナー様、全てを巻き込んだワンチームとして、お客さまが求める、そしてお客さまがハッピーになるプロダクトを提供できればと考えています」（平岡 敬浩 執行役員：事業部門副統括、事業管理本部）※1

「弊社の強みは、クラウドに特化していることと、常に新しい物を取り入れるベンチャースピリッツにあふれていること。具体的には、日本では数少ないアジュールエキスパートMSP※2を取得しているため、より高品質で安定したサポートをお客さまにご提供できます。お客さまに言われた通りシステムを納入して終わりではなく、お客さまの立場に立って、お客さまの事業に必要なクラウド戦略は何かを一緒に考えるのもサービスの1つ。対応する分野は環境から宇宙まで幅広いと考えますので、臆せずチャレンジして参りたいと思います」（前田 憲仁 執行役員：コーポレート戦略本部、社会システムソリューション室、情報システム部）※1

ＪＢＳという会社の歴史を軸として見ると、今回の株式上場は創業32年目にして「ようやく」ということになります。しかし、クラウドコンピューティングの歴史を軸にして見ると、真逆の景色が見えてきます。つまり、ＪＢＳはこれからやってくる本格的なクラウド時代を見越して「いちはやく」優秀な人材を手に入れるために上場したのです。上場したという事実は一つ。ただ、真実は見方によって幾通りも存在します。牧田氏はこう言っています。

「創業32年目ではありますが、全体的に若い人材が多く、これからもっと成長して、お客さまの役に立つサービスを提供していきたいという熱意あふれるフレッシュな会社です。上場はゴールではなく、ようやくスタートラインに立ったという感覚です」

32年目のスタートライン——実はまだ始まっていなかった、これまではウオーミングアップだったということです。しかし、スタートラインに立つまでの間には、さまざまな苦難があり、それを乗り越えてきた奮闘の歴史があります。そして本書の大テーマである「なぜIT企業が日本一の社員食堂を作ったのか」という問いに対する答えもその中にあるのです。

※1　いずれも「日刊ゲンダイJBS上場特別号」（2022年8月発行）より抜粋。
※2　Microsoft Azure のマネージドサービスを提供している優れたパートナーをスペシャリストとして認定するもの。

ＪＢＳの根底にある3つの柱

なぜＩＴ企業が日本一の社員食堂を作ったのか？　それは、アフターコロナの激動の時代に経営者はどのように社員を率い、また社員はどう働いていけばいいのか？　という問いでもあります。そして、その答えを見つけるのがこの本の狙いです。

2章以降、ＪＢＳが歩んできた道のりを、時計の針を少しずつ逆に戻しながら、探っていきたいと思います。その手がかりとして、３つのポイントを挙げておきます。

1つ目は「働く場所」です。リモートワークの普及で場所を選ばず仕事ができるようになりました。それこそ会社に出ることなく、自宅で1日業務にいそしむことも可能になっています。しかしそうした便利さは、人間は1人では生きていけないという不便さを気づかせることになりました。実際、新型コロナウイルス感染症の感染法上の分類が2類から

5類に変わって以降、引いた波が寄せて返るように、働く人の足がオフィスに戻って来ています。

もはやコロナ禍以前と同じような働き方では通用しません。オンラインワーカーとオフラインワーカーの融合をどうすればいいのか、感染対策を徹底しながら働きやすさを追求するにはどうすればいいのか。つまり、わざわざ働きにきたくなる場所がこれからの会社には求められています。そのお手本となるのが、ＪＢＳのオフィスや社員食堂です。そのこだわりや、開設までの経緯をお伝えしていきます。

２つ目は「社員を大事にする」です。近ごろはウェルビーイングという言葉で言い換えられています。直訳すると「幸福」「健康」という意味になります。世界保健機関（ＷＨＯ）憲章の前文の一節※から引用すれば、ウェルビーイングとは、幸福で肉体的、精神的、社会的、全てにおいて満たされた状態のことをいいます。

※ Health is a state of complete physical, mental and social well-being and not merely the absence of disease or infirmity.
健康とは、病気ではないとか、弱っていないということではなく、肉体的にも、精神的にも、そして社会的にも、全てが満たされた状態にあることをいいます。（日本ＷＨＯ協会仮訳）

しかし、これは非常に曖昧な言葉です。何をもって、肉体的、精神的、社会的に満たされるかは、人それぞれ違うからです。中には言葉だけが独り歩きして、会社のウェルビーイング研修で社員がヘトヘトになっているなどジョークのような状況も生まれています。

こういう時は、シンプルに考えるのが近道です。社員にとってのウェルビーイングとは、〝大事にされている〟ということではないでしょうか。もちろん何をもって大事にされているかは個人によります。福利厚生の充実度で測る人もいれば、やりがいのある仕事を任せてもらえていることだと考える人もいるでしょう。

だから、どれか一つを実効すれば済む話ではありません。それよりも、社員を大事にするというマインドを徹底し、臨機応変に対処していくことが、誰も取り残されないウェルビーイングを実現することにつながるはずです。それを社長自ら考え、実践しているのがJBSの強みだと筆者は考えています。

そして3つ目が「社中の考え」です。社中とは耳馴染みのない言葉かもしれません。広義には同じ目的を持つ人々で構成される仲間や組織を指し、狭義には茶道や華道などの同門の師弟で構成される活動の最小単位のことを言います。有名なところでは、坂本龍馬が中心となった亀山社中などがあります。いまでいえば、グループやコミュニティーといったところでしょうか。

実は、ＪＢＳにもこの社中の考えが浸透しています。というのも、創業者の牧田氏の母校、慶應義塾大学の理念の一つだからです。同学の考える社中とは、慶應義塾を構成している教職員、学生、卒業生を全て包含した結社と考えてよく、在学生の父母も広い意味での社中の一員といえます。要は社員だけではなく、ＯＢ・ＯＧ、さまざまなステークホルダー、すべてを結んだネットワーキングのことで、その重要性がいま見直されています。そうした社中の考えがＪＢＳの事業活動のどこに生かされているかということにも注目しながら、２章以降に紹介していければと思います。

第2章

夢のような福利厚生

【2010年代のIT業界】

2010年から2019年までのIT業界は大きな変革期でした。まず、2010年にはインターネットアドレスの管理方法が大きく進化し、その安全性が向上しました。2011年には、インターネットアドレスの原型とも言えるIPv4アドレス※の枯渇が話題となり、新たな管理制度が導入されました。2012年以降では、インターネットの住所（ドメイン名）に新たな形式が登場し、より多様な選択肢が生まれています。この間に、インターネットの統治体制に関する大きな動きも見られ、2014年にはインターネットの基盤となる機能の管理権限が国から民間へと移行しました。

セキュリティー面では、2015年から2017年にかけて、情報漏洩や大規模なサイバー攻撃が相次ぎ、その対策の重要性が認識されました。2018年にはユーザーのプライバシー保護に向けた新法（GDPR）がEUで施行され、世界中のサービスに影響を及ぼしました。そして2019年は、新元号の令和の始まりであると同時に、インターネット誕生30周年として、IT業界の多くの人の記憶に刻まれています。

虎ノ門ヒルズに引っ越し

２０１０年代のＪＢＳにとって大きな出来事の一つといえば、虎ノ門ヒルズ森タワーへの引っ越しです。実はＪＢＳは、創業以来、何度かオフィスを移り変わっています。

まずは１９９０年、創業の地に選んだのは港区芝の小さな雑居ビルの一室でした。牧田氏の母校・慶應義塾大の近く、慶応仲通りから少し横道に入った「三田奥山ビル」です。知り合いの会社の間借りで、机一つ、椅子一つからスタートしました。

その後、順調に業績を伸ばし、１９９４年には芝公園近くの「芝パークビル」に移転しました。この時の引っ越し資金は銀行からの融資でまかないました。

しかし、すぐに手狭になり、翌１９９５年には品川区勝島の「東神ビル」に移転。この

※　インターネットの初期から現在も主流として使われている通信規格でインターネットでデータのやりとりをするためのデータ通信のルールを定めたインターネットプロトコルのバージョン４の規格のこと。

翌年、初めての新卒採用を行っています。最初は1フロアだけでしたが、人が急激に増えたことで2年後には1フロアを追加しています。

2000年には、再び港区の芝に戻ってきます。「芝公園ファーストビル」は東京タワーを見上げる都心の一等地にあり、オフィスの床面積約400坪と、直前の「東神ビル」より3割ほどアップ。家賃は3割どころではなく、なんと3倍。これは、当時のJBSの規模からしたら結構な背伸びでした。

まるで、わらしべ長者や出世魚のように、より大きな、より便利なオフィスに引っ越してきたJBS。虎ノ門ヒルズ森タワー（以後森タワー）に引っ越してきたのは、2014年8月。ビルの竣工が同年5月ですので、そのわずか3カ月後ということになります。そしてさらに2024年5月には本社を「虎ノ門ヒルズステーションタワー」に移転します。

「2012年に、たまたま森ビルさんから『いま虎ノ門にビルを建てている』という話を聞きました。その頃我社は、上海のオフィスを森ビルさんから借りていたので、お付き合いがあったのです。早速工事現場を見に行ったら、とても立派なビルを建てている。場所も良い。正直当時のJBSの身の丈には少し背伸びしすぎかと思ったのですが、何とか入

れてもらいたいとお願いをしました」（牧田氏）

森タワーを選んだ理由の一つは大きさです。以前の芝公園ファーストビルは、１フロアの床面積が４００坪で、それを４フロア借りていましたが、オフィスが４層に分断されていると、各階へは、よほど用事がないと行くことはありません。自分のフロアに出勤して自分のフロアから帰るというようなことになります。同じ会社の社員なのに一緒になるのがエレベーターだけでは社員同士の意思疎通がうまくいくはずがないと牧田氏は考えていました。

しかし、ワンフロアが１０００坪ある森タワーなら、単純に４フロアを２フロアに減らすことができます。さらに牧田氏は驚くべき手を打ちました。16階と17階の中央に、両階をつなぐ吹き抜け階段を作ったのです。これなら、わざわざエレベーターを使わなくても、簡単に行き来できます。ここまでする会社を、私は見たことがありません。

ちなみに、社員同士が交流しやすくなるための工夫は他にもあります。フロアの中央には、吹き抜け階段やエレベーター、エントランス、社員食堂などを配置。オフィスは外窓に沿ってドーナツ型に配置したのです。これによって回遊性が高まりました。同じフロアであれば、オフィスエリアをぐるりと一周できます。つまり、どこかで誰かと出会う機会が増えます。「あ、そういえばこの間の件だけど！」と、突発的に打ち合わせが始まるかもしれません。そんな時のために、可動式のホワイトボードや簡易チェアが至るところに置かれており、会議室も数多くあり、全体的に散らばっています。いつでもどこでもディスカッションできる環境が整っています。

なお、壁や床のカラーリングは緑と青で、海と大地をイメージしています。また、外周を全て大きな窓ガラスで囲まれているので、オフィス全体に外光が差し込み、非常に明るい印象です。

訪れる人の目を引くのは、エントランスにある巨大な水槽です。手がけたのは神奈川県にある八景島シーパラダイスの水族館を作った会社で、こんな都心のオフィスビルにこれだけ大がかりな水槽を作ったのは例がないと言っていたそうです。

このように、社員のクリエーティビティーとイノベーションを活性化させる工夫とデザインは高く評価され、引っ越した翌年、第28回日経ニューオフィス賞「ニューオフィス推進賞／クリエイティブ・オフィス賞」を受賞しました。

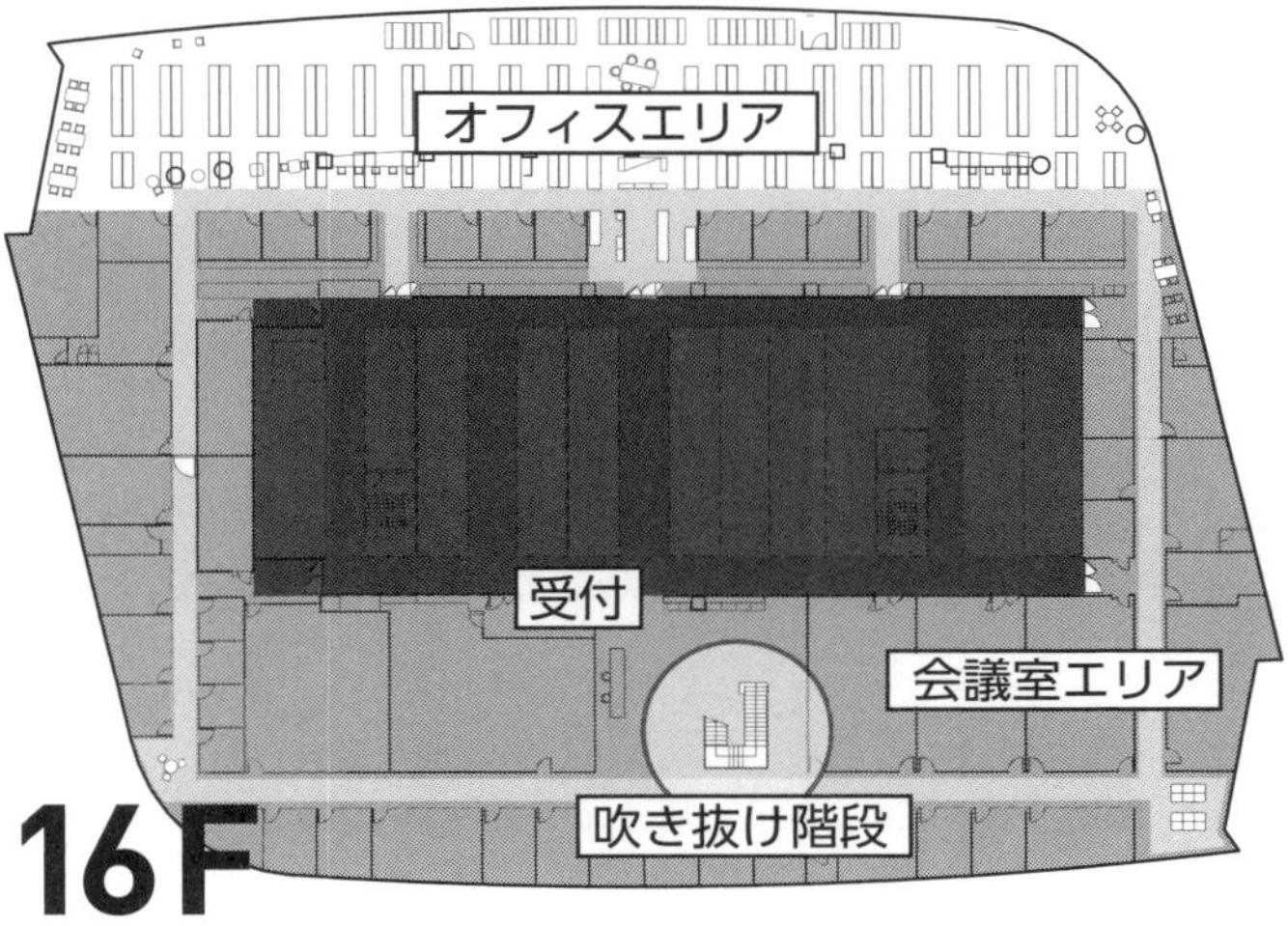
オフィスエリア
受付
会議室エリア
吹き抜け階段
16F

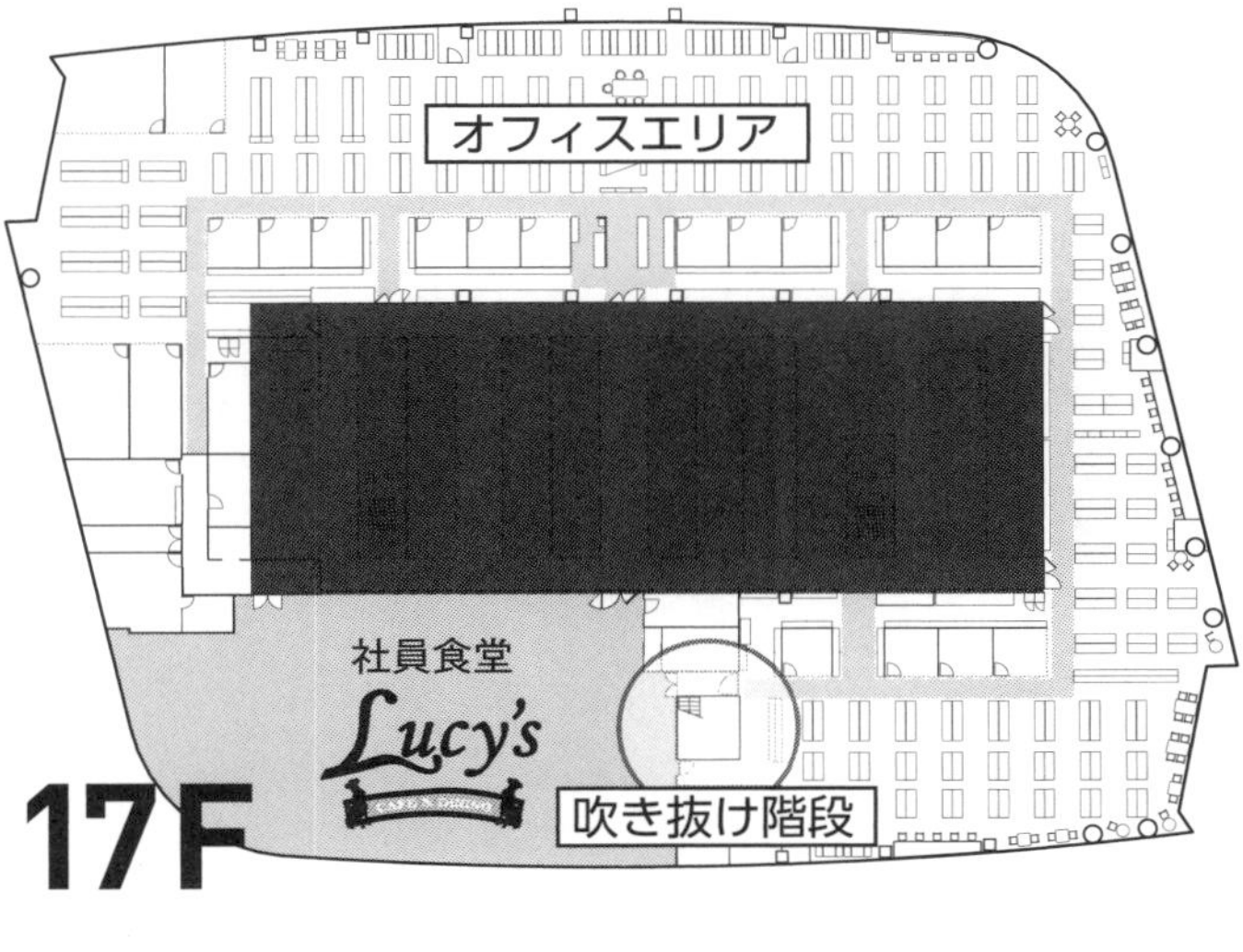
オフィスエリア
社員食堂
Lucy's
吹き抜け階段
17F

2014年8月に引っ越してきた虎ノ門ヒルズ森タワー

フロア中央に作った吹き抜け階段

開放感ある社内会議室

エントランスで目を引く巨大な水槽

同様に、社員同士のコミュニケーションを考えてオフィスをワンフロアにした経営者は他にもいます。代表的なのはアップル創業者の故スティーブ・ジョブズです。

彼はアップルを退社した後、1986年にルーカスフィルムのコンピューター・アニメーション部門を買収し、ピクサー・アニメーション・スタジオを設立しました。1995年の「トイ・ストーリー」の大ヒットを皮切りに、さまざまなヒット作を世に送り出してきたことは説明するまでもありません。

カリフォルニア州エメリービルにあるピクサー本社は、2000年に建てられました。4つある施設の中でも現在「スティーブ・ジョブズ・ビルディング」と呼ばれているオフィスには、スティーブ・ジョブズのこだわりが随所に込められています。特に彼がオフィスデザインにおいて、もっとも強く求めたのが、社員同士の「偶然の出会い」と「予期せぬコラボレーション」です。

実は、もともとのデザイン案では、4つのビルに職種別に社員を分けるようになっていました。例えば、Aのオフィスビルにはコンピューターサイエンス、Bのオフィスにはアニメーター、CとDにはその他の部署といった具合です。

しかし社員の能力を、予期せぬコラボレーションによって高めたいと思ったジョブズは、社員全員を1つ屋根の下に入れることにしたのです。

その巨大なオフィスの中央スペースは「アトリウム」と呼ばれ、全社員とオフィス訪問者が自然と交わるように設計されています。スペースを挟んで右側にはクリエーティブ系のオフィス、左側にはテクニカル系のオフィスがあります。人間の右脳と左脳をイメージしたデザインになっているのはジョブズの遊び心でしょう。社員のメールボックスやカフェ、休憩用の遊具やジム、映画シアターもこのアトリウムに集結し、トイレも唯一このスペースにあるそうです。何かの理由で自然と人々が集まるよう、導線が設計されているのです。

ジョブズは作品作りに直接タッチすることはありませんでしたが、こうしたオフィスの工夫により、社員のクリエーティビティーとイノベーションが活性化し、素晴らしい作品が世に出ていく原動力になることを期待していたのだと思います。

ＪＢＳの牧田氏がピクサーのオフィスを参考にしたかどうかは分かりませんが、同じような意志を感じさせます。

人が来たくなるオフィス

虎ノ門ヒルズという場所にオフィスがあることにも、「大きな意味がある」と牧田氏は言います。

まずは社員のモチベーションアップです。都心にあって、地下鉄の駅に直結しているアクセスの良さは言うまでもありません。

さらに大きいのはその知名度です。多くのＪＢＳ社員が森タワーに引っ越してきた当時、「虎ノ門ヒルズで働ける！」と感動したそうです。「今までの服じゃ出社できないかも」と冗談めかして言う社員や、初日に記念写真を何枚も撮って帰った社員もいたといいます。これだけで社員のエンゲージメントは高まるでしょう。

さらには社外への影響です。虎ノ門ヒルズに移転したことで、顧客や取引会社の来社数が以前より倍増したのです。

「引っ越したばかりの頃、新規のお客さまと打ち合わせがあったのですが、お客さまの会社は厚木にあったので、弊社の営業が『伺います』と言ったのです。しかし、『いや、こちらから行きます』と固辞。わざわざ厚木から虎ノ門まで足を運んでくださいました。後から聞いたら『一度来てみたかった』ということ。これが虎ノ門ヒルズ効果かと思いましたね」（牧田氏）

営業先での名刺交換でも、「え、虎ノ門ヒルズに会社があるんですか？」と驚かれることが増えたそうです。名刺交換でそれだけ相手の心を掴むことができれば、その後の交渉もスムーズに行くことでしょう。

実際、同社の売り上げは、森タワーに引っ越した２０１４年から3年間で、なんと１・5倍以上も増えています。もちろん他にも理由はあると思いますが、人が来たくなるオフィスの効果は大きいと思われます。

なお、このようにオフィスの立地にこだわった有名な経営者の例も、枚挙にいとまがありません。１人挙げるとしたら、アマゾン創業者のジェフ・ベゾスでしょう。１９９４年にアメリカ・ワシントン州のシアトルに本社を構えたのは、同地がマイクロソフトを中心としたソフトウエア産業が栄えていた地であり、ＩＴ関係の優秀な人材が多くいたからです。人材が集まりやすい場所を選んだのです。さらに、現在の本社ビルが建つのはシアトルの再開発エリア。インフラ整備や公共交通へのアクセスにも優れています。本社ビルのシャボン玉のような外観は観光名所になっています。虎ノ門ヒルズにどこか似ていると思うのは筆者だけでしょうか。

社員食堂ルーシーズの名前の由来

森タワーに移転してくる以前の芝公園ファーストビルは、４００坪が4フロアで合計１６００坪です。虎ノ門ヒルズは１０００坪が2フロアなので２０００坪です。余る４００坪のスペースは、社員食堂「ルーシーズ」になりました。

森タワーへの移転作業は、「半分楽で、半分大変だった」と牧田氏は振り返ります。楽だったのはオフィス部分の移転です。デスクやチェア、ラックなどのオフィス家具は全て新調。フリーアドレスなので、極端な話、ノートパソコン一つですぐ仕事ができたからです。

一方、大変だったのは社員食堂作りです。実は移転初日には間に合わず、文字通りベールに包まれていました。その実態は、社内でも限られた者にしか知らされておらず、引っ越して来た社員らは「何ができるんだ？」と口々に噂し合ったそうです。

「トラブルなどではなく、当初からオフィスの入居初日には間に合わないという想定でした。排気ダクトの設置、キッチンの防水処理など通常のオフィスにはない工程があまりにも多かったからです。しかしそれでも、絶対に作るんだと最初から覚悟の上でした」（牧田氏）

引っ越しから1カ月後。ついに社員食堂はその全貌を明らかにしました。

配管むき出しの天井やウッド調の内装など今風のおしゃれな内装、革張りのソファなど高級感のある調度品、そして大きなガラス窓から見える東京タワー。社員からは、「え、何これ、社員食堂?」と、どよめきが起こりました。

そして、入り口に掲げられたサインディスプレーを見て、何人かの社員が気づきました。

「ルーシーズって、もしかして、あのルーシー?」

ルーシー、それは多くの社員にとって、忘れがたい名前でした。虎ノ門ヒルズに来る前、芝公園ファーストビルのオフィスで飼っていた犬の名前なのです。最近でこそ犬がいるシェアオフィスや、ペットと同伴出勤できるペットフレンドリーな会社も珍しくありませんが、当時はかなりレアケースでした。

きっかけは、牧田氏がたまたま読んだ新聞の夕刊の記事です。そこには、オフィスに犬がいることで非常に癒やしになり、生産性も上がる(?)ということが書かれてありました。

「ぜひうちもそのようにしたいと思って調べたら、犬をレンタルさせてくれるペットショップを見つけました。その店からやって来たのがルーシーだったのです」(牧田氏)

白い毛並みが美しい、メスのゴールデンレトリーバー。最初はペットショップの人が毎朝会社に連れて来て、夕方引き取りにくる、そんな関わり方でした。

ゴールデンレトリーバーといえば、元来フレンドリーな性格で知られる犬種です。吠えることもないので、オフィスで飼うにはもってこいでした。特にルーシーは愛想抜群。「自分をかわいがってくれる社員の席を覚えていて、自ら挨拶に回るような賢さもありました」（牧田氏）

このルーシーを人一倍かわいがっていたのが、現在は海外法人の社長を務めるAさんでした。休みの日もペットショップまでルーシーを迎えに行き、散歩に連れ出すほどの惚れ込みよう。ルーシーもAさんを飼い主と認めていたようでした。そこで牧田氏は会社でルーシーを買い取り、Aさんに預けることにしました。

託されたAさんは毎日車で一緒に出勤しました。ルーシーの専属ドライバーと言ってもいいでしょう。ルーシーは正真正銘の看板犬として、長い時間をオフィスで社員たちと過ごすようになりました。

社員食堂ができた時、すでにルーシーは亡くなっていましたが、その面影を心に色濃く残す社員はまだ多かったはずです。

「社員食堂に名前をと思って考えたら、ふとルーシーの顔が脳裏に浮かんだのです。ルーシーの食堂、これなら皆、喜んで食べに来てくれるだろう。社員をもてなす場所として、これ以上ふさわしい名前はないと思いました」（牧田氏）

こうして、ＪＢＳの名物社員食堂「ルーシーズ・カフェ＆ダイニング」は誕生しました。入り口の看板をよく見ると、コック帽をかぶった犬のレリーフが飾られています。まるでルーシーが出迎えてくれているようです。

そもそも社員食堂は必要なのか

ところで社員食堂は歴史上いつからあるのでしょうか。

一節には、1872年に操業を始めた富岡製糸場がその先駆けだと言われています。女子工員の日記によると1日3食、ご飯、煮物や汁物などが提供されたといいます。当時三度三度の食事が出ることは、とても貴重なことだったはずです。

現在の労働者にとって社食とはどのような存在なのでしょうか。リクルートライフスタイルの外食市場に関する調査・研究機関「ホットペッパーグルメ外食総研」は、2018年に社員食堂についてのアンケートを実施しました。

それによると、まず全体において「社食がある」と回答したのはわずか22・7%。つまり、社食がある会社に勤めているのは4人に1人もいません。実は社食は当たり前ではないのです。

しかし、会社に社食があると答えた人の半数近い45・８％が、「ほとんど利用しない」と答えています。それらの人に、社食を利用したくない理由を聞いたところ、１位は「おいしくないから」で22・１％でした。２位は「金額が高いから」で16・６％。３位は「メニューの種類が少ないから」で15・０％でした。


つまり、おいしくて、安くて、メニューが豊富であれば、社員はもっと頻繁に社員食堂を利用するということです。食を通じて社員の健康維持に貢献できれば、昨今取り沙汰されている「健康経営」につながります。

それができていない会社が多いのは、第一にコストがかかるからです。まずはスペースの確保の問題。厨房機器の購入にもお金がかかります。さらに調理スタッフの人件費、食材費、水道光熱費などのランニングコスト。食品衛生法による飲食店の営業許可なども管轄する保健所に申請しなければなりません。社員食堂を作るのは簡単なことではないのです。

やっぱり飲める社員食堂がいい

そんな一筋縄ではいかない社員食堂作りを、JBSでは総務部長のSさんが任されました。ルーシーズ課の課長と兼務です。

Sさんは早速ビル会社に相談し、紹介された社員食堂の専門業者にアウトソーシングしました。食堂の設計もメニュー作りも順調に進み、試食会も行いました。後は工事のスタートを待つばかりという段階で牧田社長に報告すると、その表情が冴えません。何か言いたげな様子です。Sさんは理由を尋ねました。

「夜にお酒を出したいと言うのです。なんだ、それならお安いご用と、さっそく業者に確認したら、期待通りお酒も出せるし、フライドポテトや唐揚げなどのつまみも出せるという答えでした。それを社長に伝えたのですが、やっぱり釈然としない表情。何が問題なのでしょうか？　と聞くと、特に問題はないのだけれど……と何か言いたげです。らちが明きませんでしたが、これだけははっきりしました。いまのままでは前に進まないということです」（Sさん）

しばらくして牧田氏は、飲食店関係の店舗設計を得意とする会社の担当者を連れてきました。そして「提案に加えて欲しい」と言ってきたのです。

Sさんとしては、「すでに設計図は出来上がっているし、ビルから紹介された業者でもあるので、当初の設計案で進めたい」と思っていました。そこで業者に「もっと夜の雰囲気で」と伝え、設計図を作り直してもらったのですが、残念ながらそれまでのイメージを大きく超えるものではありませんでした。

一方、牧田氏が連れてきた会社の設計図は、まさに飲食店のそれで、社員食堂には見えません。そこでSさんはようやく気づきました。「社長は社食じゃなくて、飲食店を作りたいんですね？」。すると牧田氏は「そうだ」と答えました。

なぜそこまでして、牧田氏は「飲める社員食堂」にこだわったのでしょう。

それは、社員が集まりたくなる「場」を作りたかったのです。そこには、システムインテグレーターならではの働き方が大きく関係していました。

社員の中にはクライアント企業に出向き、社内に常駐してプロジェクトを推進している社員もいます。これを「客先常駐」と言います。JBSでも客先常駐しているエンジニアはいます。客先常駐は、異なった社風や企業文化に触れることができるので、刺激をもらったり、自分を高めたりできるメリットがありますが、一方で自社への帰属意識が弱くなってしまう社員もいます。

まず、会社にほとんど来なくなります。家と現場である常駐先との往復になるからです。通勤途中に会社があっても、立ち寄る機会は少なくなってしまうそうです。

そうなると何が起こるか。会社と客先常駐社員とのコミュニケーション不全が起こるのです。業務報告では書かれることがない、クライアントに関するさまざまな情報が入って来なくなるのです。牧田氏はそういう社員の情報から、いち早く顧客のニーズを掴み取り、満足のいくサービスを提供したいと考えていました。

もちろん、社員同士の交流も重要です。仕事を抜きにして語り合うには、食を媒介するのが一番手っ取り早く、確実な方法です。

牧田氏は虎ノ門ヒルズの前のオフィスでも、夕方になるとハンバーガーやピザを夜食用に大量に差し入れていました。また、外に飲みに行くと金も時間もかかるからと、ポケットマネーで缶ビールを会社の冷蔵庫にストックし、1人100円で提供していたそうです。飲み会だけでなくオフィスでも食や飲みを通じてコミュニケーションを活性化しようとしていたわけです。

飲み会については、昨今その必要性が揺らいでいると言われています。日本生命が2021年10月に行ったアンケート調査によると、飲み会が「必要」「どちらかといえば必要」と回答した人は全体で38・2％と、前年から16・1ポイントも減少しました。コロナ禍の影響で社員同士の飲食が強制的にできなくなったことも大きいと思われます。

しかし、コロナ禍によるコミュニケーション不全は深刻です。就職・転職情報会社の学情が行った「仕事以外でのコミュニケーションに関する人事担当者へのアンケート調査」によれば、コロナ以前と比較すると、7割以上の企業が飲み会など仕事以外でのコミュニケーションの機会を「確保できていない」とし、さらに3社に1社が、それによって入社1年目の社員の活躍に「影響がある」と回答しています。

■ 飲みニケーションは必要か（男女別）※（ ）内は対前年比

n=7774人（%）

	全体（昨年比）		男性		女性	
必要	11.1	38.2	14.6	44.2	7.2	32.1
どちらかといえば必要	27.1	(▲16.1)	29.6	(▲18.2)	24.9	(▲9.2)
どちらかといえば不要	25.0	61.9	22.7	55.8	27.4	678
不要	36.9	(+16.2)	33.1	(+18.2)	40.4	(+9.1)

■ その理由（男女別・年代別）

n=2969人（%）

		全体	男性	女性	～20代	～30代	～40代	～50代	～60代	70代～
1	本音を聞ける・距離を縮められるから	57.6	60.7	53.6	41.5	62.8	59.5	63.8	52.8	39.8
2	情報収集を行えるから	38.5	40.2	36.2	29.9	39.7	41.6	41.9	37.6	26.2
3	ストレス発散になるから	33.6	38.2	26.8	33.3	36.0	37.0	34.1	32.7	19.5
4	悩み（仕事）を相談できるから	29.2	30.0	27.5	40.8	41.4	29.6	28.5	22.8	0.3
5	人脈を広げられるから	29.2	31.2	26.7	32.7	34.2	29.3	31.5	24.6	21.1
6	悩み（プライベート）を相談できるから	12.8	13.2	12.1	15.0	19.5	13.0	11.9	10.5	10.5
7	お酒が好きだから	12.5	15.5	8.4	12.2	15.3	14.8	12.9	9.7	6.3
8	いろいろなお店にいけるから	9.5	9.5	9.5	8.8	15.3	12.0	7.8	7.8	3.9

※日本生命「2021年 インターネットアンケート」より

具体的には「実際は活躍していても、交流のあるメンバーにしか情報がいかず、認識されていないケースがある」「上司や先輩に、フランクに相談したりアドバイスをもらったりする機会が減っている」「直属の上司と良好な関係を築けていないと、一気に孤立してしまう傾向がある」といったケースが報告されています。つまり、仕事上でのコミュニケーションでは、こうした部分は担保されないということです。

飲み会が全てを解決するとは思いませんが、先の日本生命のアンケートにおいて、飲み会を必要と考える理由の最多が、性別や世代を問わず「本音を聞ける・距離を縮められる」だということを考えると、やはり社内の潤滑油としての役割は大きいと言えます。牧田氏が飲める社員食堂にこだ

コロナ以前と比較すると、職場での飲み会など、仕事以外でのコミュニケーションの機会を確保できていますか？

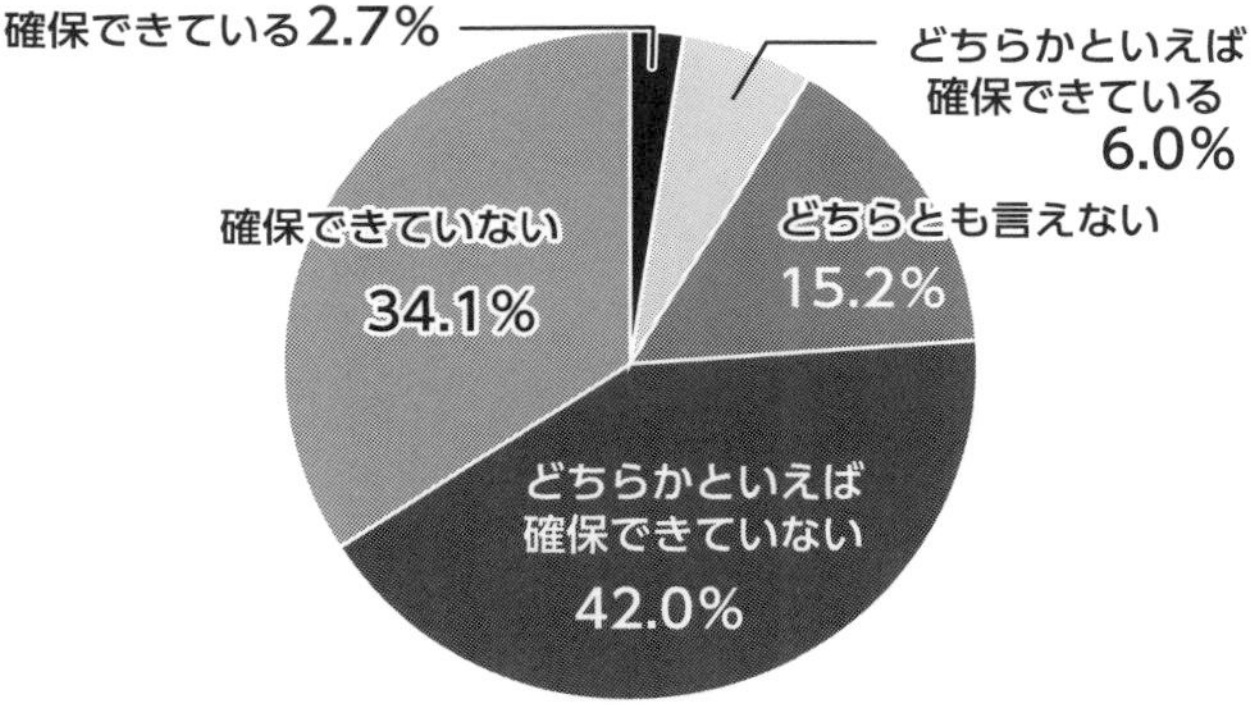

仕事以外でのコミュニケーションの機会を確保できていないことで、入社1年目の社員の活躍に影響はありますか？

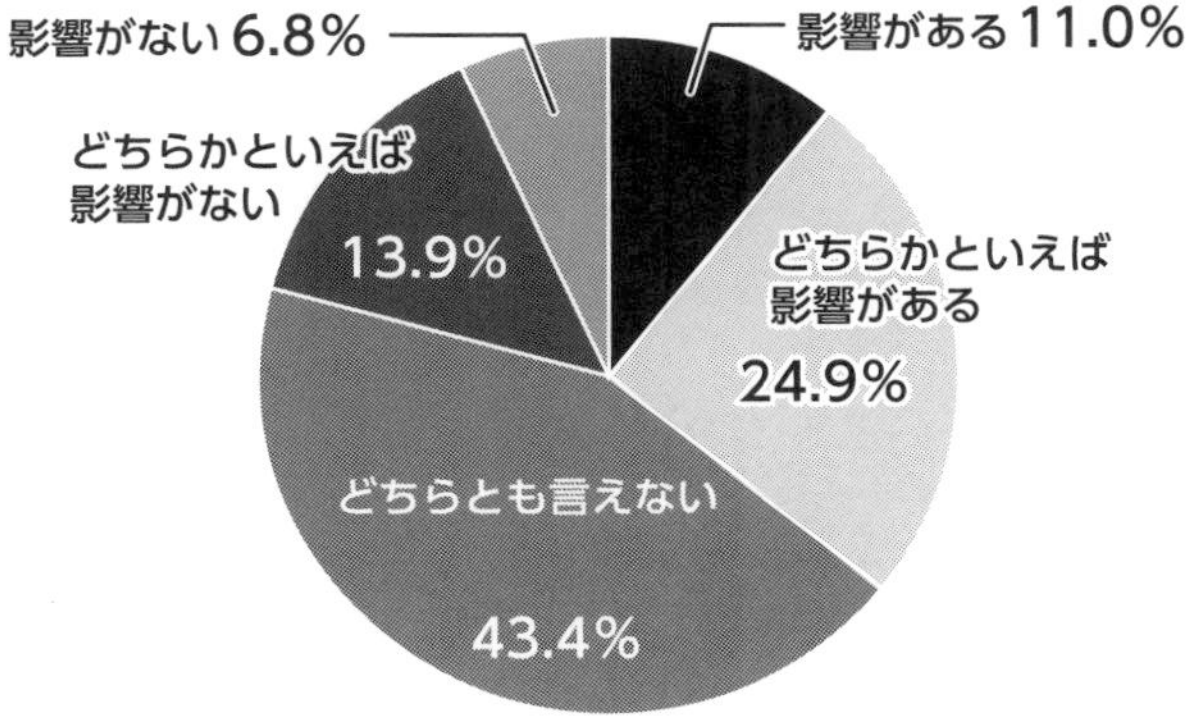

出典：学情「仕事以外でのコミュニケーションに関する人事担当者へのアンケート調査」より

わった理由もそこにあります。ちなみにＧＡＦＡＭや国内の先進的なＩＴ企業においても、社員のコミュニケーションを活性化させるためのプログラムを取り入れている企業が多くあります。例えばキッチンで一緒に料理をして食事ができたり、山登りをしたりといったものです。

このルーシーズの構想自体は２０１０年ぐらいからありました。以前の芝公園のファーストビルの周りは、小さな飲み屋はたくさんあるけれども、10人や20人といったまとまった数となると、キャパオーバーでした。かといって、ホテルのバンケットでは高くつくし、大げさです。そこで牧田氏は「もっと気軽に使えて、広い店を自分たちで作れないか」と思ったのです。

実はその前からお手本となる店はありました。同じ業界で、居酒屋を経営している会社があったのです。その会社は部長クラスの社員を経営の勉強のために店長にしていました。自分たちの店ですから、当然社員はお客さまを連れて飲みに来ます。客も珍しいから足を運んでくれる。すると、隣にいるのも自社の社員ですから、お客さまを紹介するなど新しい交流が生まれる——実際、客としてその光景を目にして、牧田氏は憧れを持ったそうです。「いつかやってみたい」と。それを虎ノ門ヒルズに移転したのを機に実現させたのです。

飲める社員食堂。ただし、「社員食堂の割には」というレベルでは意味がありません。ルーシーズを任されたSさんは、「外の店と勝負して勝たなければだめだ」と覚悟しました。

というのも、場所は虎ノ門エリアのど真ん中です。一歩出ればおしゃれでおいしい飲食店はたくさんあります。仮に同じレベルであれば社員は外の店にいくはずです。わざわざ会社の中で会社の愚痴を言いたい人はいないからです。つまり料理の質も値段も、雰囲気も周りの店より優れていなければ、「ルーシーズで飲もうよ」とはならないのです。

しかし、JBSの本業は飲食店ではありません。Sさんもエンジニアリング畑でこれまでずっとやってきた人です。それは餅屋が自動車を作るような、畑違いのミッションでした。

米・麻婆豆腐への飽くなきこだわり

　結局ルーシーズの設計と運営は、牧田氏が連れてきた会社が行うことに決まりました。その会社は社員食堂の経験はなかったそうですが、だからこそ独創的な食堂が作れたのかもしれません。ちなみに会社の規模も知名度も、決して大きいとはいえませんでしたが、ある部分で功を奏しました。それはスピード感です。

　例えばメニューを決めるための試食会でこんなことがありました。週に一度、20メニュー以上を用意して、牧田氏やSさんなどが試食し、意見を出し合いブラッシュアップしていくのですが、ある時、試食に出されたポテトサラダを食べながら、牧田氏がどこそこで食べたポテトサラダがおいしかったと口にしました。牧田氏にとってはイメージを伝えるために何となく口にした一言に過ぎません。

　しかし翌週の試食会には、それと全く同じポテトサラダが出されました。シェフがすぐに牧田氏の言う店に行き、レシピを聞き出して忠実に再現したのです。それには牧田氏も非常に感動しました。

この時から、社長の〝どこの何がおいしかった〟シリーズが始まってしまいました。例えば麻婆豆腐は故陳建一さんの店にシェフが1年近く通い詰め習得しました。この時のことを、ルーシーズ店長のKさんはこう振り返ります。

「きっかけは、とあるホテルのパーティーで、社長が四川飯店のブースで麻婆豆腐を食べたことでした。その時社長が気づいたのは〝うちには麻婆豆腐がない〟ということ。本当に純粋な発想で〝みんながきっと食べたい〟と思い、麻婆豆腐をメニューに加えようと決めたのです。

社長から注文を受けた私たち厨房のスタッフは、最初見よう見まねで作ってみました。初めて作った麻婆豆腐は見た目もおいしそうではなく、実際食べられたものではありませんでした。何度か試作を重ねたものの、うまくいきません。ついには、めったに文句を言わない社長も〝まずい〟とズバリ。そこで、社長が絶賛したホテルの四川飯店の味を参考にしようと、厨房のスタッフと一緒に食べに行きました。

スタッフ４人でその店を訪れ、ビールも頼まずに麻婆豆腐を注文しましたが、お店のスタッフは少し困惑していました。結局、我々の真意を明かし、そのレシピを教えてもらえるか尋ねました。驚いたことに、彼らは全てのレシピを教えてくれました。当初は感謝の気持ちでしたが、後に彼らの自信に気づきました。一流の味は、方法を知っていても真似できないということを彼らは知っていたのです。

そんなある時、陳建一さんの息子さんである陳建太郎さんがルーシーズに来てくれました。牧田社長のお仲間が建太郎さんを紹介してくれたのです。非常に気さくな方で、特別に自家製の調味料や麻婆豆腐のセットを持参してくれました。そしてその場で1食分を作り、残りの調味料などを私たちの元に置いていってくれたのです。特に勉強になったのは、IH調理器具への対応です。中華料理は通常、強火での調理が必要とされますが、建太郎さんはルーシーズの厨房のIH調理器具に合わせた調理方法も教えてくれました。そのノウハウのおかげで、私たちの麻婆豆腐は、お客さまから〝変わった?〟と聞かれるほどクオリティーが向上したのです」

その後も、牧田氏から「あそこの麻婆豆腐がおいしい」と聞けば食べに行き、味に磨きをかけてきました。そのように試行錯誤を重ね、独自の味を追求し続けたルーシーズの麻婆豆腐。今では牧田氏だけでなく、社員全員がおすすめする名物メニューに。ルーシーズ

辛さも本格派　グツグツ煮える「麻婆豆腐」

といえば麻婆豆腐と言われるゆえんです。
同じく名物の1ポンドステーキも、肉好きにはおなじみの有名店にインスパイアされたものです。なんとその店と同じ仲卸から牛肉を仕入れています。森タワーのルーシーズの厨房はガスが使えないので、焼き方まで完全再現とはいきませんが、その後オープンした中部事業所の社員食堂「ルーシーズ名古屋」ではガス調理器が使えるので、完成度は限りなく完璧に近いそうです。
カレーは当初牧田氏いきつけの神戸のステーキハウスのビーフカレーをお手本にしようとしました。その店はテイクアウトを行っていませんでしたが、牧田氏

有名店と同じ仲卸から仕入れた「1ポンドステーキ」

は出張帰りに店に立ち寄り、無理を言ってタッパーに詰めて帰ったのです。新幹線の車内からの「今から持って帰るから、会社で待っていてくれ」という牧田氏の電話を今もSさんは覚えています。結局そのカレーの味にはいまだ至っていませんが、牧田氏のルーシーズへの思い入れが分かるエピソードです。

なお、ルーシーズが一番力を入れているメニューはご飯です。米は牧田氏の生まれ故郷、新潟県十日町市で取れる魚沼産のコシヒカリ。それを季節に合わせた水加減で、毎回注意深く炊いています。夜の会食用に至っては世界一おいしいご飯が炊けると評判の高級炊飯器を使用しています。

ふたたびK店長さんは、牧田氏のお米についてのこだわりについてこう語ります。

「社長は出来立ての品質を非常に重視しています。会食の際には特に白米に関しては、つくり置きは絶対にＮＧで、お客さまが乾杯した瞬間に炊飯器のボタンを押すようにしています。炊く量も重要で、大量のご飯を一度に炊くと、下の方のご飯が潰れてしまいます。そうならないよう、こだわりの釜で２合か３合だけ炊き上げ、提供する方針を取っています。

お米については、新潟県魚沼産のコシヒカリを最も良いお米と信じており、特に新米の季節になると毎年〝新米はいつから？〟と質問されます。新米の季節が到来すると、それを祝うかのようにおにぎりを社員に配るよう指示が出ます。そのおにぎりはシンプルに、塩と少しのごまだけで、海苔は必要ないとのこと。それを２００パック、合計４００個、厨房のスタッフが握ります。これらのおにぎりは、透明パックに入れますが、湯気でべちゃべちゃになることを避けるため、蓋を閉める前にしっかりと湯気を逃がします。いつも口酸っぱく言われているので、私たちはすっかりこの注意点を理解していますが、社長は毎年、厨房の前まで直接確認に来て、〝あ、まだ蓋をしないで！〟と口を出してきます。ここまでくると、その思い入れの強さには頭が下がります」

牧田氏が麻婆豆腐やカレーにこだわるのは、実はお米を食べさせたいからだとＫ店長は分析します。

「初めの頃、麻婆豆腐もカレーも提供していなかった当時、食事の締めには白米と3種類のご飯のお供、そして赤だしを出していたのです。しかし、ほとんどのお客さまがご飯を1膳しか召し上がらないことに気づきました。そこで社長は、どうすればお客さまに2膳、3膳ともっとご飯を楽しんでもらえるかと考えたのでしょう。そして、麻婆豆腐を提供し始めると、お客さまがもう1膳追加でご飯を召し上がるようになったのです。それ以来、和食のコースの最後でも、白飯と麻婆豆腐の組み合わせは外せなくなりました」

なぜ飲食店が本業ではないのに、ここまでやるのでしょうか。その問いにSさんは、「本業ではないからこそ、ここまでやれる」と答えます。というのも、本業の飲食店なら家賃や人件費だけでなく利益も上乗せしなければなりませんが、社員食堂は福利厚生で利益を追求する必要がないので、原料費や人件費、光熱費などの諸費用を差し引いて赤字が出さえしなければ、いくらでもお金をかけておいしい料理を出すことができるからです。K店長はこう言います。「私にとって、ルーシーズはさまざまな提案が自由にできる場所です。基本的にはNGのレッテルが貼られることはありません。しかも、ルーシーズは

Lucy's Nagoya

Lucy's Osaka

オールジャンルOKで、エスニック、インド料理、ハンバーガーなど、どんなジャンルでも面白いと感じられる要素があれば提案できます。もちろん、売り上げや、原価、人件費などは報告していますが、細かい数字にこだわることなく、楽しんで仕事ができています。このような自由な発想を仕事として反映できる場所はなかなかありません」

ルーシーズのような社員食堂を作りたいと、多くの企業関係者が視察に訪れます。しかし、やるかやらないかは、当事者の熱量の問題です。牧田氏の熱量の源泉は、やはり人への思い。K店長はこう証言します。

「人気メニューを考えるのは、ルーシーズの人気向上のため、社員のため、そしてもちろんお客さまのためです。特に社長は社員を子どものように思っており、社員同士で食事をしている場面に出くわすと、〝あれはもう食べたか?〟〝なぜカレーを食べていないんだ?〟〝どんどん食べなさい〟と声をかける姿をよく見ます。もはや親心なのでしょう」

家族団らんの場であり、顧客を招いての宴席の場でもあり、そして、いきつけの店でもある。社員だけでなく、顧客や取引先からも「ルーシーズで食事がしたい、懇親会がしたい」といった声が多く挙がります。つまり、全ての人の心のよりどころなのです。「ルーシーズで飲もうよ」。そんな声がこよいも森タワーの17階から聞こえてきそうです。

新社屋の受付エリア

2024年5月には虎ノ門ヒルズステーションタワーに本社を移転します。JBSの企業理念「優れたテクノロジーを、親しみやすく」を体現した新本社は、〝最新のクラウドソリューション×人と人のつながり〟によってイノベーションが生まれる場＝Ｃｌｏｕｄ Ｐａｒｋがコンセプトです。

新本社には、最先端のクラウドソリューションを体感し、オープンに議論できる場ができるそうです。また、来訪するお客さまやパートナー企業のビジネスパーソン、社員や家族が集うコミュニケーションプレイス＝Ｐａｒｋ（公園）となり、自社運営レストランカフェ＆ダイニング「Ｌｕｃｙ's Ｔｏｋｙｏ」も新たにオープン。さらなる飛躍を目指します。

社宅にこめた若手社員への思い

ＪＢＳの福利厚生のうち、社員食堂と並ぶ目玉が「社宅」です。とにかく「いい場所にある」と評判なのです。

社宅といっても一軒家ではなく、全てマンションです。ほとんどが一棟借りか一棟買いした物件です。その数は19棟５７６戸（２０２４年3月現在）にも上ります。

間取りは、１ＬＤＫや2ＬＤＫが多く、基本的には一人暮らしや、ＤＩＮＫＳなどの2人暮らし向けです。

物件の一覧表を見ると、所在地は神宮前、麻布十番、東麻布、神山町、白金台、湯島、江戸川橋、五反田といった山手線内の一等地が目につきます。いずれも、有名・人気スポットで、通勤や日常生活に非常に便利です。

これらのマンションの一室に、ＪＢＳの社員は割安料金で住むことができます。

なかなかの厚遇ぶりですが、ポイントは主に若手社員向けの社宅だということです。その理由について牧田氏は、「我社の新卒社員の半分近くが東京都外の出身者です。初任給で都心に部屋を借りようと思ったら相当な家賃になります。しかし遠くから毎日通うのは大変です。経営者として、通勤の不便を忘れて、仕事に集中してほしいと思うのは当然」と語っています。

麻布十番に住んで、虎ノ門のオフィスに通う——まるで平成のトレンディードラマのようです。それらを若い頃に見て憧れた世代の親御さんにとっては、羨ましくもあり、安心かつ誇らしいのではないでしょうか。

実際、ＪＢＳの若手社員は、社宅でどのように暮らしているのでしょうか。白金台の社宅に暮らすＯさん（新卒2年目・エンジニア※当時）と、中野坂上の物件に暮らすＹさん（新卒1年目・エンジニア※当時）に、インタビューしました。

——普段はどんな仕事をしていますか？　ＪＢＳに入社した理由は？

Oさん　マイクロソフト製品をお客さまの会社に導入する仕事をしています。就活ではIT企業を探していたのですが、インターンでJBSにお世話になったときに、皆で協力し合いながら仕事をしていこうという雰囲気が良くて入社を決めました。

Yさん　私はアカウントSEとしてお客さまと一番近い場所で仕事をしています。JBSを選んだのは、面接のときにすごく気さくに話してくれるなど、社員の人柄が良かったからです。あとオフィスや社員食堂にも案内してもらって、こういう所で働きたいと思ったのがきっかけです。

――社宅に住もうと思った理由は？

Oさん　私は地方の大学を出て、就職で初めて東京に来たのですが、やはり住まい探しが一番の心配事でした。また、大学時代は片道2時間くらいかかっていたので、なるべく近くに住みたいと思ったのです。今の住まいは会社までドア・ツー・ドアで30分なので、言うことありません。

Yさん　私は、大学こそ東京だったのですが、他県の実家から通っていたので、やはり片

社宅は都内の一等地に（表参道）

道2時間かけて通学していました。それが大変だったので、就職したら絶対に一人暮らししようと思っていたのです。片道2時間だと家に帰ってからゆっくり休む時間がないので、仕事に差し障りが出ると思ったからです。でも都心は家賃が高いし、ほどほどの家賃だと駅から遠く、防犯面も心配でした。ですが、今の社宅は駅近で、オートロック完備です。しかも会社までドア・ツー・ドアで40分なので、しっかり体を休めることができ、満足しています。

――部屋の住み心地はどうですか？

Oさん　防音がしっかりしているので、とてもくつろげます。また、地域住人が上品な方ばかりなので、すごく落ち着いた環境で暮らせます。

Yさん　部屋がすごく広いんです。大きめのベッドを置いても余裕です。風呂トイレも別。実家よりきれいだと母が言っていました（笑）。

――でも社宅だと、プライバシーが気になりませんか？　他の部屋に住んでいるのも同じ会社の社員だし、気持ちの切り替えが難しいのでは？

Yさん　確かに住む前はそうした心配があったのですが、住んでみると皆同じように考えているせいか、過度な干渉はありません。また、距離感は自分で調整できると気づきました。一方、困った時に仲間が近くにいる安心感は大きいです。今では同じマンションに住む同僚とも、たまにご飯に行くなど、ほどよい距離感で楽しく暮らしています。

Oさん　そこはあまり意識したことはないですね。同じ会社といっても、社員数が多いので、まだ顔なじみではない人も多いですすし、お互いむやみに話しかけたりしないので、普通のマンションと変わらない感じです。

――今の物件を選んだ理由は何ですか？

Ｙさん　見た物件の中で、一番清潔感があって広かったのが決め手です。新宿が近いので買い物や食事にも便利だと思いました。ちなみ私はＫ－ＰＯＰが好きなので、歩いて新大久保へ行けるのも選んだ理由の一つです。

Ｏさん　防音がしっかりしていたので、在宅勤務がはかどると思いました。物件とは関係ありませんが、会社の福利厚生でジムが使えるのはうれしいです。私は筋トレが趣味なのです。

――福利厚生といえば、ルーシーズについてはどうですか？

Ｙさん　本当にきれいで、割安で食べられますし、栄養価も高くて、重宝しています。私はお酒を飲みに行くのが好きなのですが、虎ノ門の周辺は値段の高い店が多くて、しょっちゅう行けないのが残念に思っていました。でもルーシーズだったら気兼ねなく飲めますし、先輩も気軽に誘ってくれるので、たまにごちそうしてもらったりもします。私も先輩になったら、ルーシーズで後輩にごちそうしてあげたいと思います。

Oさん　毎月第2金曜日と第4木曜日の「牛ステーキ定食」を食べるために、その日は必ず出社しています。社外の友達と晩ごはんを食べるときもありますね。いいなと羨ましがられます。

――福利厚生について会社へ要望はありますか？

Yさん　強いて言えば、ディズニーランドやユニバーサル・スタジオ・ジャパンの割引チケットが欲しいですね（笑）。※編注・実際は健保で安く申し込めます。

Oさん　バイクが好きなのですが、今の社宅には止められません。バイクを置ける場所があるとうれしいですね。

――最後に、今後の抱負を聞かせてください。

Oさん　会社は全体的に若い人が多く、自分も含め、まだまだ未熟な部分もあると思いますが、自分たちの努力とやる気で会社を引っ張っていきたいと思います。まずは今の仕事で一人前になるのが目標です。

Ｙさん　アカウント部門はお客さまと一番近い存在なので、会社の顔になります。お客さまに「ＪＢＳに任せてよかった」と言ってもらえるよう、これからも頑張って行きたいです。

――ありがとうございました。皆さんの今後の活躍を期待しています。

Ｏさん、Ｙさん　ありがとうございました！

社員への投資はコストではない

社宅に限らず、ＪＢＳは、「若手ファースト」をコンセプトに掲げています。例えば、最新の高性能パソコンは若い社員から優先的に支給されます。かつて行われていた社員旅行でも、若手社員ほど眺望の良い部屋があてがわれたそうです。なんとも羨ましい話です。その理由について牧田氏は、「若い人ほど吸収力が高い。だから最新の高性能なパソコンをどんどん使って、どんどん仕事を覚えて欲しい。眺望の良い部屋は、若いうちにたくさん感動させてあげたかったからです。感動は必ず仕事に良い影響を与えますから」と答えています。

投資は若手社員に限ったことではありません。全ての社員にノートパソコンと最新のクラウド環境が与えられ、２０２４年3月にはマイクロソフトの企業版生成ＡＩツール「Copilot for Microsoft 365」を全社導入し、誰もが日常業務で生成ＡＩを活用できるようになりました。

昨今の就職活動では、給与以外に働きがいや福利厚生を重視して勤め先を選ぶ人が増えています。リクルート就職みらい研究所が行った「就職プロセス調査２０２２年卒」では、年収よりも「自らの成長が期待できるか」「希望する地域で働けるか」「福利厚生（住宅手当等）や手当が充実しているか」を重視する人が多いという結果が出ています。

それに対して、企業はどれくらいの福利厚生費をかけているのでしょうか。２０２０年12月に日本経済団体連合会が発表した「第64回　福利厚生費調査結果報告」によると、２０１９年度の従業員一人当たりの福利厚生費の総額は平均で1カ月10万８５１７円。そのうち法定福利費は同８万４３９２円、法定外福利費は同2万４１２５円でした。

なお、福利厚生費には、法定で定められた「法定福利費」と企業が自由に定められる「法定外福利費」の2つがあります。法定福利費は社会保険など法律で定められているもの、法定外福利費は通勤費や住宅手当、健康診断費や慶弔費、各種レクリエーションなどです。社員食堂や社宅は後者に当たります。

推移を見ると、法定福利費は２００３年度に7万円台を超え、13年度には8万円台を超えるなど、一貫して上昇傾向にあります。しかし、法定外福利費は抑制傾向にあります。つまり、社員に対する衣食住のサポートは年々手薄になっているのです。

福利厚生をどれくらい手厚くするべきかは意見が分かれるところでしょう。社員のエンゲージメントやウェルビーイングといったことが取り沙汰される昨今、無視するわけにはいきません。しかし先立つものがないというのが経営者の本音でしょう。しっかりと業績に跳ね返ってくると分かれば決断もしやすいでしょうが、それを裏付けるデータは今のところ見当たりません。牧田氏は反論します。

「正直なところ、費用対効果が計算できるならやろうという発想自体が問題ではないでしょうか。本当の費用対効果は何年も先に出るものですし、社員への投資には、コストで計算できない価値が私はあると思います」

社員への投資はコストではない——では、何だというのでしょうか。

その答えを探るために、時計を創業時まで巻き戻してみます。時代は１９９０年代。失われた30年の始まりとなった年代です。

第3章

顧客ファーストの会社を

【１９９０年代のＩＴ業界】

１９９０年代はインターネットの黎明期で、その成長と普及が特徴的でした。１９９１年には世界初のウェブサイトが公開され、日本でも翌１９９２年に初のＨＴＭＬで記述されたウェブページが登場しています。また同年から商用インターネットサービスプロバイダー（ＩＳＰ）のサービスが始まり、１９９３年にはインターネットの商用利用が許可されました。１９９４年には検索エンジンYahoo!が誕生。ウェブブラウザーNetscapeもリリースされました。１９９５年にはエポックメーキングであるWindows95の発売やインターネットの料金低廉化により、インターネット普及への道が開けました。１９９７年にはGoogleが登場。１９９８年にはオープンソースのＯＳ「Linux」が広まりました。携帯電話からインターネットへのアクセスを可能にした「ｉモード」が登場した１９９９年は、インターネットの普及が一層加速した年だったと言えます。

のちの妻の勧めでＩＢＭに入社

ＪＢＳの創業は１９９０年、牧田氏が33歳の時です。それ以前は、日本ＩＢＭの営業として働いていました。ＩＢＭといえば当時から世界有数のコンピューター企業でした。

本社はアメリカのニューヨーク州。１９１１年に、パンチカード式計算機を販売するコンピューティング・タビュレーティング・レコーディング社として創業し、１９２４年にインターナショナル・ビジネス・マシンズ社、略してＩＢＭと社名を改めます。

ＩＢＭは豊富な資金力と強力な販売網を活用して、商業コンピューター市場のシェアを高めていきました。１９６４年には、空前の大ヒットとなるＩＢＭシステム３６０を世に送り出し、１９７０年代には商業コンピューター市場の７割をＩＢＭが占めるほどに成長します。

なお、１９６８年に公開されたスタンリー・キューブリック監督の映画「２００１年宇宙の旅」には巨大コンピューター「HAL9000」が登場しますが、この「HAL」は「IBM」のアルファベットを1文字ずつずらしたものだと言われています。つまり当時のIBMは、コンピューターそのものを象徴する言葉として広く認知されていたのです。

日本IBMは、日本ワットソン統計会計機械㈱という名で、1937年に横浜・山下町で創業しました。小規模ながら、IBMの経営に即した組織とマネジメントを導入。事務所の正面入り口には、IBMの社是である「THINK」（考えよ）の文字が掲げられていたといいます。

当時から人材育成を重視し、有能な若手社員を米国へ派遣して5カ月間にもおよぶセールス・スクールを受講させるなど、その後の営業活動の柱となるセールスやマネジメントの最新知識を身に付けさせました。また、保守サービスのスタッフもIBMのエンジニア・スクールで学ばせるなど、サービス部門にも力を入れていました。

牧田氏は1979年に新卒で日本IBMに入社しました。ただし、就職活動を始めた当初は、コンピューター関係の会社はまったく眼中になかったといいます。

「もともと営業をやりたいとは思っていたので、とりあえず商社を第1志望で考えていました。当時付きあっていた同学年の彼女が勧めてきたのがＩＢＭだったのです。というのも、彼女の兄が4歳年上で、彼が就職活動の時に家にたくさん届いた会社案内の中でＩＢＭが目を引いたというのです。結局、彼女の兄は公務員になり、彼女も別の会社に就職したのですが、とても良さそうな会社だから受けてみたらと、猛プッシュされたのです」

この女性こそが後の牧田氏の妻。勧められるうちに感化され、また「ＩＴはこれから主要な産業になるかも」と思ったこともあり、面接を受けることにしたのです。

しかし、コンピューター関連の知識ゼロでは落とされると思い、当時通っていた慶應義塾大学のコンピューターセンターに見学に行き、一通りコンピューターの知識を身に付けて挑みました。ところが――。

「採用面接では一切コンピューターの質問が出なかったのです。代わりに、大学では何をやっていたのかと聞かれたので、アルバイトで百科事典のセールスをして結構売れたと話したら面接官が食いついてきて、1時間ほどその話で盛り上がりました。で、結局受かったのですが、面接官はコンピューターの知識は入社してからじっくり学ばせればいいと思ったのでしょう」

実際、入社して1年間は、仕事をしながら研修を受ける日々が続きました。もともとコンピューターにまったく関心がなかった牧田氏は、コンピューターシステムの知識を覚えるのに相当苦労したそうです。

「同期には、もともとコンピューターに詳しい人がいて、私の何倍も早く理解していました。悔しいというよりも、頭のいい人は違うなと感心したのを覚えています。そういう人を先生にして、わかるまで教えてもらうという作戦でいきました」

ちなみに大学時代の百科事典のセールスは、家庭に直接訪問して販売するスタイルでした。本人いわくグイグイと強引にいくタイプではなく、むしろ淡々と話しながらコミュニケーションを取り相手の懐に潜り込むという、剛より柔のタイプ。それでも当時としては破格の月10万円を稼ぐこともありました。

その資質は社会人になっても生きました。もし気が強いばかりの新入社員だったら、負けん気にはやって自滅していたかもしれません。しかし、あくまでも冷静。そして、ちゃっかり同期に教えを請うあたりに牧田氏の人間性が表れています。

売り込まない営業で8年連続トップに

牧田氏は、主に中小企業向けに、売り上げを集計したり、請求書を出したり、会計をしたりするためのコンピューターを販売する部署に配属になりました。

仕事の内容は、中小企業の経営者に課題を聞いて、それを解決するためのシステムを打ち合わせしながら作っていき、それに合わせてコンピューターを販売するというものでした。ＪＢＳで今やっていることと実質的に変わりはありませんが、顧客の会社の規模は随分と違いました。

業種で多かったのは製造業です。例えば、オーディオテープレコーダーの駆動部分を作る電機メーカーとのやりとりが、特に思い出に残っているそうです。

当時のものづくりは、まだ国内の専門企業が一手に部品を作り、ソニーやパイオニアといった大手メーカーに納めていました。ですので、中小企業といえども取扱数や売り上げは相当なものがあり、そういう会社が売り上げや生産の管理のために、コンピューターを導入していたのです。

その頃のコンピューターは今とはだいぶイメージが違います。まず、メインとなるコンピューター本体はコンピューター室の中に厳重に納められ、それと有線ＬＡＮでつないだパソコン端末で操作するというものでした。パソコン端末はノートパソコンではなく、デスクトップパソコンです。モニターも今のような薄型液晶パネルではなく、箱型のブラウン管のディスプレーでした。ブラウン管と言っても分からない人がいまや多勢を占めるでしょう。

金額は1セット数千万円と破格。中には1億円を超えるようなものもあったそうです。それでいて今のスマホ1台分の性能にも遠く及びませんでした。また、スマホにはいくつもアプリが入っていますが、当時は1つのプログラムを動かすために1台のパソコンが必要でした。ＩＴの進化の速さは目を見張るばかりです。

「当時はその金額の高さから、手作業の方が速いとか、本当にこれが必要なのか、というような懐疑的な声もありました。それに対して、いかにコンピューターがあると便利なのかを分かってもらうのが私の主な仕事でした」

そうした、企業におけるコンピューターシステムの黎明期を最前線の営業として過ごしてきた牧田氏。ＩＢＭでは並み居る凄腕の営業を押さえて、８年連続売り上げトップという金字塔を打ち立てました。しかし、最初の２年間は、あまり売れなかったそうです。

「１年目は研修期間ということもあり、先輩に助けられて何とかノルマを達成できたという感じです。しかし２年目から独り立ちしなければなりません。このままではいけないと思い、どうすれば売れるか必死に考えました」

思いついたのが、「売り込まない」作戦です。

それまでは、「ＩＢＭのコンピューターはこういう点がいいですよ」と性能を一生懸命説明していました。顧客は話こそ聞いてくれますが、「今すぐには難しい」と断られ、なかなか成約に結びつきませんでした。なぜなら、機能や性能だけを説明しても、それを実際にどのような場面で使えばいいのか、それが自社に必要なのかどうか、具体的にイメージできなかったからです。

そこで、牧田氏は、まずは顧客のニーズを掘り起こすことに努めました。

まず、毎日のように顧客の元に通い、コンピューターの困りごとを見つけては、それを助けてあげるということを繰り返しました。そうこうしていると、顧客の方からいろいろと相談してくれるようになってきます。それに対して、「そういう環境だったらこうしたほうがいいですよ」とアドバイスするのですが、牧田氏は決して自社のコンピューターをゴリ押しはしませんでした。システムの構成によっては、他社のメーカーの方が速くてメンテナンスも楽な場合があったからです。そうした、自社には不都合な事実も包み隠さず顧客に教えて、「一度今使っているメーカーの営業マンに問い合わせてみるといいですよ」などと他社製品を勧めることもあったそうです。

IBM時代の牧田氏

「もちろん、すぐに買ってもらいたいのはやまやまでしたが、本当に必要なものを、納得して買ってもらわないと、お客さまには喜んでもらえないと思ったのです。だから、まずは困っていることを解決して差し上げる。そうすると皆さん喜んでくれる。それがうれしくて、役に立って良かったという思いだけで、その時は仕事をしていました」

ところが、そんなことをしばらく続けていると、「コンピューターで困ったことがあったらIBMの牧田に聞け」という雰囲気が生まれました。そして、普段あまり通っていない、それこそ1年に1回ぐらいしか行っていなかった顧客から、「今度新しい工場を作るので新しくI

BMのコンピューターを入れたい」と、突然電話がかかってくるようになったのです。さらにこんなことも起こりました。

「契約をして満足したお客さまが、新しいお客さまを紹介してくれるようになったのです。うちの取引先がコンピューターのことで困っているから相談に乗って欲しいと。紹介してくれたお客さまはいわば成功事例なので、紹介されたお客さまはよほどのことがない限り契約してくれます。それで満足してくださったお客さまが、今度は違うお客さまを紹介してくれるという、好循環が起こったのです」

見込み客の数珠つなぎ――この輪をいくつも作り出すことで、牧田氏は8年連続セールス1位という偉業を成し遂げたのです。

ちなみに、当時は年に1台~2台売れば成績優秀者と言われていましたが、牧田氏は平均して4~5台を売り上げたそうです。その実績の裏には、地道とも言える顧客ファーストの積み重ねがあったのです。

雑居ビルの2階でスタート

1988年、牧田氏は31歳の若さでIBMの営業課長に昇進しました。会社からは将来を嘱望されていましたが、2年後の33歳の時に独立します。理由は、顧客が求めるシステムを特定のメーカーにしばられず、自由に組んで売りたかったからです。

「IBMにいてはIBMの製品しか扱えません。お客さまがよろこぶサービスを自由に提供したかったのです」

当初は、IBMの同僚や部下3人と創業する予定でしたが、結局は牧田氏一人での船出となりました。牧田氏は当時の心境を、「全て自分で決められるからむしろ気楽だった」と、気丈に振り返ります。

社名はアルファベット3文字で、他の会社と重ならないことを条件にいろいろ考えました。当時は3文字のIT会社がはやりだったのです。JBSにした理由については、「意味はあまり気にしませんでした。システム会社としてありそうな名前なのが好都合だなと」。実際、創業直後に初めての会社に名刺を持って営業に行くと、「あぁ、JBSさんね、知ってるよ」と言われたそうです。そんな時、既存の会社と勘違いしているなと思っても牧田氏はこう答えました。

「ありがとうございます。これからもどうぞご贔屓に」

設立は、1990年の10月。記念すべき最初のオフィスは、港区の芝に構えました。牧田氏の母校・慶應義塾大の近く、慶応仲通りから少し横道に入った三田奥山ビルの2階を知り合いの会社から間借りしたのです。広さは1フロア38坪。その半分を間借りしたので、使えるスペースは20坪にも足りません。しかし「都心のわりに賃料が安かったのが気に入りました。雑多な場所ですが、新橋と同じ港区です」と牧田氏は振り返ります。オフィスに用意したのは机一つと電話一台だけ。それでも、牧田氏の胸の中にははち切れんばかりの夢と希望があり、その夢と希望を抱えながら、営業に駆け回ったのです。

しかし、すぐに壁にぶつかりました。牧田氏が営業に出かけると、電話を受ける人間がいなくなってしまうのです。当時はまだ、携帯電話は一般的ではありません。せっかく問い合わせの電話がきても、取り逃してしまう。「企業は１人ではできないと、改めて実感しました」。さっそくアルバイトの電話番を雇って再スタート。なんとも慌ただしい船出でした。

最初の仕事はすぐに決まりました。ＩＢＭ時代の友人が、「英語のパソコンを欲しがっている企業がある」と、スペインに本店がある銀行の東京支店を紹介してくれたのです。牧田氏はすぐにアポイントを取って訪問し、見積書を提出すると、即決で採用されました。それは牧田氏の目にとても新鮮に映りました。

「じゃあＯＫですとあっさりしたものでした。創業したばかりの小さな会社なのに大丈夫かとこちらが心配になったほど。後から気づきましたが、外資系企業はそういうことにこだわらないのです。長年日本の企業を相手にしていた身としては非常に新鮮でした。そして、これはいけるぞと自信を深めるきっかけとなりました」

この時の実績は、パソコンとプリンターが1台という小さなもの。しかし、牧田氏にとっては得ることの多い案件でした。これをきっかけに、その後も外資系企業を中心に営業をかけていったのです。

結果的にこの作戦は成功しました。次々に外資系の新規顧客を獲得することができたのです。その顔ぶれは錚々《そうそう》たるもので、クレディ・スイス、フィリップモリス、ブルームバーグなど一流ばかりです。リーマン・ブラザーズもこの頃からの顧客。成功の背景にあったのは、当時はまだ外資系企業に積極的に営業をかける日本のシステム会社が少なかったことです。

「まだ外資系に対してはハードルが高い時代でした。英語でやりとりする必要がありますし、英語仕様のパソコンやソフトウエアも海外から調達しなければなりません。当社は偶然知り合いがアメリカでシステム会社をやっていたので、そのルートを使って他社より優先的に仕入れることができました」

時代も追い風になりました。それはWindowsの台頭です。

ＪＢＳが創業した翌年の91年に、マイクロソフトはWindows3.1を発売。その４年後にはWindows95をリリースします。外資系企業はこの新しく、画期的なコンピューターシステムを積極的に採用しました。一方、日本の企業では、日本語対応がまだ不十分であったことや、国産コンピューターが主流であったことなどから導入には消極的でした。つまり、日本企業を主な顧客としていた競合他社に比べ、ＪＢＳはWindowsの取り扱い実績を数多く積むことができたのです。その差が、後の２０００年代の大きな飛躍につながります。

個性的な人材たち

営業畑である牧田氏自身は、パソコンの設置やシステムの設定はできません。当初はＩＢＭ時代から付き合いのある業者に依頼していましたが、仕事が増えるに従い内製化する必要が出てきました。全て外注していたら、手数料などがかかり過ぎるからです。そこで創業2年目にエンジニアを募集することにしました。とはいえ創業したばかりの今でいうベンチャー企業にはなかなか良い人材が集まりません。難儀をしていたところに応募してきたのがWさんでした。

当時はまだ大学2年生。しかも「大学を辞めて就職したい」といいます。聞けば事情があって学業を続けることが難しくなったからということでした。牧田氏は考え直すよう説得しましたが、本人の意志は固く、最終的には採用することになりました。アルバイトではなく正社員として入社しました。

Wさんはパソコンについてずぶの素人でした。普通ならいくら人材に困っていたとしても採用はしないでしょう。しかし牧田氏はすぐ一人前になりたいというWさんの意志の強さに賭けました。どんなに優秀でも、人はやる気にならなければ力を発揮しません。Wさんはやる気は人一倍ありました。Wさんは期待通りすぐに要領をつかみ、現場で活躍するようになりました。そして、現在は経営層として同社を支えています。

営業の人材も採用しました。第1号は女性でした。

「たまたま友人の紹介で生命保険の営業として実績をあげていた女性と知り合いました。一目見て優秀だと気づきました。特に営業トークの説得力がすごいのです。ぜひうちに来て欲しいと誘いました」

それまでエンジンが牧田氏の1馬力だけだったのが、新しい営業担当の1馬力を加えて2馬力になったことで、JBSの成長のスピードは加速度的に上がりました。ちなみにこの女性は後に独立し、現在はカリスマ営業コンサルタントとして活躍しています。

なお、営業において牧田氏が心がけていたのが「クイックレスポンス」です。日本語に訳せば、あらゆる対応をスピーディーに行う、ということです。

「見積もり一つでも、他社なら3日かかるところを、1日で出すようにしていました。早いほうがお客さまもうれしいはずですから」

顧客のニーズに寄り添うことも大事にしていました。まずは電話ではなく直接会って顧客の困りごとを聞く。その上で対処方法や適したソリューションを提案する。疑問があったらすぐ電話で確認する。そんな当たり前のことをやるだけで、顧客は安心して任せてくれたと言います。

考えてみれば、システムインテグレーターとは、他の会社が作ったコンピューターやソフトウエアを組み合わせることでしか自社の価値を提供できません。極論を言えば、その組み合わせの的確さと、誠実な対応でしか勝負ができないのです。

「同じシステムでも組み合わせでお客さまが得られるベネフィットは全く違います。うまく提供できればものすごい効果をお客さまに与えることができますが、間違えばマイナスになることもあります。そして、お客さまに正しく運用していただくことも肝心です。そのためには、ＪＢＳの言うことをちゃんと聞けば安心だと思っていただく必要があります。その信頼を構築するには相当な時間がかかります。私たちの仕事は納品して終わりではないのです」

初めての新卒採用

創業以来、前年比2割アップのペースで売り上げを伸ばし続け、着実に会社の規模を拡大していったＪＢＳは最初は１フロアだけでしたが、２年後にはもう１フロアを追加しました。

当時は、先に述べたWindowsブームにも乗って、ＪＢＳはとにかく人手が足りませんでした。１９９５年の時点で、社員はわずか20人余り。優秀なエンジニアは簡単には中途採用できません。仮にできたとしても、それだけでは対症療法のようなものです。会社の将来のためには長期的な人材育成に踏み出す時期にきていました。そう判断した牧田氏は、翌１９９６年からの新卒採用を決定します。初年度の募集定員は10人に設定しました。しかし牧田氏は内心不安でした。

「当時はまだ無名のベンチャー。興味本位で入社試験を受けに来てはくれても、後から大手の方に内定が出れば、きっとそちらに行くはずです。10人募集して、1人入ってくれれば御の字だと思いました」

現在、JBSで部長職に付く50代のMさんとSさんは、ともにこの時に入社した、新卒入社第1号です。後にルーシーズを立ち上げたあのSさんです。

Mさんはもともと IT志望でしたが、当時はいわゆる就職氷河期。しかもIT業界は淘汰の時期に差し掛かっており、倒産や統廃合が相次いでいたのです。そのため「就活は本当に苦労した」と、Mさんは振り返ります。

Sさんは Mさんより1つ年上ですが、大学を1年留年していたので入社時期が重なりました。同じく就職氷河期の影響で、企業の説明会すら自由に参加できませんでした。そうした中、ようやく参加できた合同企業説明会で配布された資料の中にJBSのパンフレットがあったのです。それが面接を受けようと思ったきっかけでした。

「面接会場に行ってみたら、熱く語る30代後半ぐらいの男性がいて、それが牧田社長でした。家に帰ったら留守電に社長の声で、内定が出ました！　と。それには驚きました。当時はどんな小さな会社でも、社長自ら入社試験の結果を電話してくる会社などなかったからです」

Mさんは出社初日のことを今でもよく覚えています。

「会社に行ったら、数人の社員が社長を取り囲み、深刻な顔で詰め寄っているのです。何事かと聞き耳を立ててると、社員数25人なのに新卒を16人も採るなんて！　とか、仕事なんてそんなにありません！　とか、口々に言っているのです。そんなに多く採用したのかと驚いたとともに、入社して申し訳ない気持ちで肩身が狭くなりました」

１人取れれば良いと思っていたのに、結果16人を採用。就職難だったというのはあるにせよ、たしかにこの数字は当時の会社の規模から考えると多すぎでした。しかし結果的にはこの強気の採用が、その後の会社の飛躍を支えることになったのです。

牧歌的だったIT黎明期

当時、ＩＴ業界はいろいろな意味で牧歌的でした。例えばシステムを組む仕事といっても、「パソコンを組み立てたり、モデムをつないだりということができれば、新人でも一人前と言われた」（Ｍさん）そう。何かトラブルがあっても「１回電源を切ってつなぎ直して再び電源を入れれば何とかなる、そういうレベルでした」（Ｍさん）。

ＬＡＮケーブルも社内で自作していました。当時は、あらかじめ使いやすい長さにカットされたものが市販されていなかったので、自分たちで必要な長さに切り、端子を付け、通電チェックをする必要があったのです。そうした地道な作業はもっぱら新入社員の仕事でした。

「ＬＡＮケーブルだけという注文も結構ありました。それほど当時は希少だったのです。

何メートルを何本欲しいと電話が入るとすぐに必要な本数を用意してお客さまの会社に届けに行きました。まるで町の電気屋さんでした」（Ｓさん）

オフィスの配線作業も、今では床下に収納して見えなくするのが当たり前ですが、当時は床の上に縦横無尽にはりめぐらせていました。コードに足をひっかけて転ばないよう1本ごとにプラスチックのモールをかぶせるのもＭさんやＳさんの仕事。ＩＴというより内装屋といったイメージでしょうか……。

そうした状態は一瞬だけで、やがてＩＴ業界は加速度的に進化していきました。その中心的存在として、ずっと業界をリードし続けているのがマイクロソフトです。Windowsに始まり、いまはMicrosoft 365といったクラウドシステムで世界標準になっていることは前述した通りです。その大きな波にＪＢＳは着実に乗り、振り落とされることなく、ともに成長しながら現在に至ります。

それは、創業時にたまたま外資系の仕事が舞い込み、その縁でどこよりも速くWindowsの施行実績を積めたからだと単純化することは可能です。しかし、先行者利益だけでこの浮き沈みの激しい業界で生き残るのは不可能です。

それを、MさんやSさんのようなベテラン社員は「社長は神ってる」と表現します。牧田社長が強運だから生き延びてこられた。これまで何度となく赤字や倒産の危機に直面しながら、その都度まるで神風のように大きな仕事が降ってきて、窮地を救った。MさんやSさんにしてみれば、それは運としか考えられない出来事でした。

しかし、本当に運だけなのでしょうか。「ブラジルの森でバタフライ（蝶）が羽ばたくことで、テキサスで竜巻が起こる」というバタフライ効果を持ち出すまでもなく、世の中には偶然の姿をした必然は数多くあります。または「思考は現実化する」といった言葉に代表される引き寄せの法則は、20世紀初頭からナポレオン・ヒルなどの思想家が提唱しています。

JBSは、何によって成功を現実化させてきたのか。それは、「カスタマーファーストの精神」ではないかと筆者は考えます。これは、IBMの営業時代から、牧田氏の中で揺るがない信念です。

本当に顧客のためになるシステムを提供したいがために、大手企業のトップ営業の座を捨てて会社を設立した牧田氏のイズムが、社員に何の影響も与えないわけがありません。本当に顧客のことを思えばこそ、時には顧客にNOと言うこともいとわない真のカスタマーファースト精神が、巡り巡ってＪＢＳに利益をもたらしたというのは、突飛すぎる考えでしょうか。

例えば、ＩＢＭの営業時代、無償で顧客の相談に乗った結果、数年後に大きな案件が降ってきたというエピソードはまさにそれを体現しています。人間には、人から何かをしてもらったらお返しをしなくては申し訳ないと無意識に思う「返報性の法則」というものがあるそうですが、それはもしかしたら会社にも当てはまるのかもしれません。だからこそ、ピンチの時に大きな仕事が降ってくる、という神がかり的な現象が起こったと筆者は考えます。

ＪＢＳの本質をなす社中の考え

初めての新卒採用の翌年である１９９７年に、アメリカで現地法人「ＪＢＳ　ＵＳＡ（以下、米国現地法人）」が立ち上がりました。目的は、アメリカでハードウエアやソフトウエアを調達し、日本に、つまりＪＢＳに輸入することでした。

現地法人の所在地はカリフォルニア州のロングビーチ。小さな事務所に、現地法人社長と社員の２人だけという小所帯でスタートしました。しばらくすると、その社員がめきめきと頭角を現し、事実上彼女が仕入れから日本への輸出まで全てこなすようになりました。そこで牧田氏は、あまりやる気のない社長に退いてもらって、彼女に全ての業務を任せることにしました。

ただし、彼女はシングルマザー。一人娘がまだ小さいので、在宅ワークを希望しました。しかし、住まいは狭いアパートです。仕入れたパソコンを一時的に保管するスペースもあ

大学時代の牧田氏

りません。そこで、牧田氏は郊外に大きな一戸建てを購入し、そこで親子で暮らしてもらいながら仕事ができるようにしたのです。

彼女は非常に喜びました。その決断の背景には、「社員の真摯な姿勢にはそれ相応に応えたい」という牧田氏の思いがあります。

これは、JBSという会社の本質を理解する上で、非常に示唆にとんだエピソードです。社員を家族同様に厚遇し、より仕事がしやすいようにフォローする。まさに今の社員食堂や社員住宅に通じる考え方です。この思想の源泉はどこなのかと考えたら、牧田氏の母校、慶應義塾大学に行き着きました。

慶應義塾では、幼稚舎の児童から大学の学生に至るまでを塾生と呼び、卒業生を塾員と呼びます。これに、教職員を合わせた全ての塾関係者を、創設者の福沢諭吉は「社中」と呼びました。これは広い意味で会社の社員であると言えます。慶應義塾では、この社中が協力し合うということを伝統とし、有名な「独立自尊」と並ぶ教育指針に掲げています。

雪深い新潟県十日町市から上京した牧田氏は、1937年に開設された学生寮「慶應義塾大学日吉寄宿舎」で4年間暮らしました。そこでの生活で、牧田氏が慶應義塾伝統の社中協力の精神を学び、自らの血肉としたことは想像にかたくありません。また、卒業生による互助組織「三田会」は、その団結力と面倒見の良さにおいて定評があります。そもそも牧田氏は、そうした相互扶助の精神に引かれて、慶應義塾を志願したと打ち明けています。

最初の社会人生活を送ったIBMも、OB同士のつながりの強い会社ということで有名です。創業したばかりの牧田氏に仕事を紹介したのも、IBMのOBでした。こうした、学校や会社を辞めた人を「アルムナイ」と呼び、近年日本でも新しい結びつきとして注目を集めています。

JBSでも、2022年11月に、同社を退職したアルムナイ（退職者・離職者）と継続

アルムナイ交流会で元社員とも関係構築

的な関係を維持するための仕組み「ＪＢＳアルムナイ・ネットワーク」を導入しました。

その背景には、時代の変化とともに人材の雇用が流動化し、一つの会社で一生勤める終身雇用の考え方が変化していることがあります。さらに、人口の減少や企業の人材不足により、優秀な人材の獲得競争が激化しています。そうした中、ＪＢＳでは会社を離れた社員と継続的に関わりを持ち、プライベートだけでなくビジネスにおいても協力しあうケースや、他の企業で経験を積んだ元社員が再び社員となり、新しい風を吹き込むケースが増えていることに気づきました。そして、会社の中と外を知る人同士のつながりが、よりよい職場環境の創出やビジネスの活性化にも効果があると考え、全社の取り組みとして導入することにしたのです。

この制度の開始にあたり、ハッカズークが提供するアルムナイ特化型のクラウド（「Official-Alumni.com」）を導入したのは、いかにもＪＢＳらしいと言えます。退職者がこのコミュニティーに参加すると、参加者同士がオンライン上で自由に交流したり、チャットを通じてＪＢＳ社員と交流したりできます。その交流はオンラインにとどまらず、リアルな交流会にもつながる予定です。会場はもちろん、社員食堂ルーシーズです。現役社員も退職した元社員も、全て同じＪＢＳの仲間。それはまさに慶應義塾の社中を彷彿とさせます。

「人」が最大の魅力であり、会社の財産と考える同社にとって、このＪＢＳ版社中ともいえるつながりの輪こそ成長の原動力であり、これまでの歴史を支える土台なのです。

第4章

信頼をバネに大きな飛躍

【2000年代のIT業界】

2000年代はIT業界にとって革新と進化の時代でした。まず2000年にはJPドメイン名の登録数が急増し、情報セキュリティーの重要性が認識されるようになりました。Windows 2000の発売や「不正アクセス行為の禁止等に関する法律」の施行も大きな出来事です。2001年は高速インターネット接続の普及や第3世代携帯電話「FOMA」のサービス開始、Windows XPのリリースなど、情報通信技術の進化が見られました。2003年にはSkypeがリリースされ、インターネットを通じた無料通話が可能となりました。2004年にはFacebookとmixiが誕生し、SNS時代の狼煙《のろし》となります。翌年には、YouTubeがサービスを開始し、ネット時代の到来を多くの人たちが実感しましたが、同年個人情報保護法が施行され、個人情報漏洩の怖さも知ることとなりました。2006年にはクラウドコンピューティングサービス「Amazon S3」がサービスを開始。またこの年にはTwitterが設立されました。そして2008年にはiPhoneが発売され、スマートフォン時代の幕が切って落とされたのです。

家賃3倍のビルに移転

2000年と言えば、「2000年問題」を思い出す人もいると思います。これは、コンピューターが2000年になる際に、日付の認識に関する問題が起こる可能性があるとされた現象です。多くのコンピューターシステムが、日付を西暦の下2桁だけで表していたためで、2000年がきたときに「1900年」と誤認識する恐れがあったからです。

Z世代の人たちには想像できないかもしれませんが、スマートフォンが普及する前の時代、人々はデスクトップパソコンやノートパソコンに依存していました。しかし、当時のコンピューターは今ほど高性能ではなかったため、省メモリや省スペースを重視しており、西暦の上2桁を省略して日付を扱っていたのです。

2000年問題が起こるとエレベーターや飛行機などの制御システムが誤作動を起こす

など大変な混乱が起きると予想されました。しかし、世界中の技術者たちがこの問題に取り組み、問題を解決するためにシステムを修正・更新した結果、大きな問題は発生せず、2000年問題は無事に乗り越えられたのです。

いま思えば、明治時代の日本人が「写真を撮られると魂を抜かれる」と信じていたのとあまり変わりませんが、当時の人々は真剣だったのです。

JBSも日付が変わる大晦日から元旦にかけて、社員総出で会社に泊まり込み、万が一に備えました。結局何も起こらずに拍子抜けしたのと同時に、「お客さまのシステムにトラブルが起こらなくて良かった」と、社長の牧田氏は振り返ります。

JBSにとっても2000年は大きなパラダイム転換となる年でした。

一つ目は、本社を東京・芝公園のファーストビルに移したことです。それ以前は品川区勝島の東神ビルに本社がありました。品川区といってもJR品川駅前の再開発エリアではなく、大井競馬場近くのかなり交通が不便な場所でした。

それに比べると芝公園は東京タワーを見上げる都心の一等地。オフィスの床面積も約

創業当時（牧田氏）

３００坪から約４００坪へと3割ほどアップしました。当然家賃もアップしましたが、こちらは3割どころではなく、なんと3倍。牧田氏も「当時の自分たちにとっては、ものすごいステップアップだった」と、相当背伸びをした引っ越しだったことを打ち明けています。

それくらい業績に勢いがあったという証拠ですが、実はその2年前の１９９８年に、ＪＢＳは少し足踏みをしています。それまで創業以来順調に成長・拡大していたのですが、それに伴い社員の中途採用を積極的に行った結果、人件費が増えすぎて会社の利益を目減りさせてしまったのです。

そのため、2フロア借りていた当時の勝島・東神ビルを、1フロアに縮小することになりました。後にも先にも、JBSがオフィスを縮小したのはこの時だけです。牧田氏も、「成長を急ぎすぎた」と反省しています。

急速な事業拡大や人員増加は、企業にとって大きなリスクとなることがあります。企業を拡大するために新卒採用をはじめとした社員の増員はポジティブに受け取られますが、目先の売り上げが伸びても採用を企業の規模以上に拡大したことで、人件費や教育研修費が重荷となり、資金不足を引き起こしてしまったケースは少なくありません。また、急激な社員増大によって企業文化や理念が伝わらないまま、組織が同じ方向を向かうことなくバラバラになってしまう企業の例はたくさん見てきました。

このように、成長を急ぎすぎたあまりさまざまな弊害が起こるケースはよくありますが、重要なのはそれをバネにさらにステップアップできるかどうかということ。JBSはそれを実現しました。その結果が3割広く、3倍家賃が高い芝公園ファーストビルへの移転です。それはやがてさらに大きな成果へとつながりました。

「J-フォン」プロジェクトに参加

２０００年8月、本社を芝ファーストビルに移転したＪＢＳは、それをきっかけに大きなプロジェクトを次々と手掛け、会社として飛躍していきます。

最初の大きなプロジェクトは、２００２年に行ったＪ-フォン（現ソフトバンク）のオフィス移転と、それに続くシステムの統合です。もう少し詳しく説明すれば、東京の御茶ノ水、初台、信濃町の３カ所にあったＪ-フォンのオフィスを、２００１年７月に竣工したばかりの愛宕グリーンヒルズＭＯＲＩタワーへ移転・統合する作業と、合計７０００人ほどの社員のメールシステムをロータスNotesというシステムからMicrosoft Exchange※に切り替える作業をＪＢＳが受注したのです。

※　マイクロソフトが開発・提供する、電子メールのメッセージ送受信を行うサーバーソフトウエア製品。電子メールのクライアントソフトはOffice アプリの「Outlook」を利用する。

ここで、Ｊ-フォンについてご存じない若い方のために、歴史的背景を簡潔に書いておきます。Ｊ-フォンは、国鉄の通信設備を引き継いだ日本テレコムの子会社で、１９９１年から１９９２年にかけて東京デジタルホンなど「デジタルホン」という名前で設立され、東名阪をエリアとする携帯電話事業としてスタートしました。１９９４年から１９９５年にかけては、日産自動車と一緒に「デジタルツーカー」各社を九州・中国・東北・北海道・北陸・四国の順に設立。１９９９年に日産が経営難で携帯電話事業から撤退したことをきっかけに、Ｊ-フォンを全国統一ブランドおよび社名に採用しました。ちなみに、２０００年にＪ-フォンから発売されたＪ-ＳＨ04という機種は、今のカメラ付きケータイの原型となった伝説の機種で、「写メール」というサービスは通称写メと呼ばれ、携帯電話で写真をメールで送ることを指す一般名称となりました。２００１年には親会社の日本テレコムがＪＲとの資本関係を解消したことで、イギリスのボーダフォン・グループが買収。２００３年にブランド名をボーダフォンに変更。２００６年にはソフトバンクグループに売却され、現在はソフトバンクブランドで事業が続いています。

ＪＢＳがＪ-フォンのプロジェクトを受託したのは２００２年です。２００１年にイギリスのボーダフォン・グループに買収され、アメリカ人のダリル・Ｅ・グリーン社長とＣＦＯのジョン・ダーキン氏によって立て直しがなされている頃でした。

きっかけは、２００１年の暮れに当時のＪ-フォンナンバー2のジョン・ダーキン氏からかかってきた1本の電話でした。ダーキン氏はＪ-フォンに来る前、ナイキジャパンの役員を務めており、そのときからＪＢＳの牧田氏と懇意にしていたのです。

「3カ月後に移転することが決まった。次にメールシステムを切り替えたい。ＪＢＳはできるか？　と聞かれました。長年お世話になってきたジョン・ダーキンさんの頼みに応えるしかありません。ただし今まで経験したことのない大きな仕事でしたので不安はありました」（牧田氏）

７０００人の社員のメールシステムを別のシステムに切り替えるのは、電灯のスイッチをオンからオフに切り替えるような簡単なものではありません。非常にセンシティブで根気のいる作業です。

例えばデータ移行です。古いシステムで使っていた全てのメール、カレンダー情報、アドレス帳などのデータを移行する必要があります。これは、大量のデータを扱うため、時間がかかりますし、データの損失や破損を防ぐため、慎重に行わなければなりません。システム設定作業も煩雑です。新たなメールサーバーの設定や、セキュリティー対策、バックアップシステムなどを構築する必要があります。これには専門知識が必要ですし、複雑な作業が伴います。社員へのトレーニングも欠かせません。システムが変わると、社員が使うメールやカレンダーアプリが変わるため、新しいシステムの使い方を学ぶ必要があります。7000人の社員全員にトレーニングを行うには、相当な時間と労力がかかります。サポート体制の刷新も必要です。移行直後から、社員からの問い合わせやトラブル対応が発生します。ITサポートチームは、新システムに関する問題がすぐに解決されるよう対応が求められます。

このように、7000人の社員のメールシステムを切り替える作業は、多くの手順や課題があり、大変な労力が必要なのです。

なぜそのような大きなプロジェクトを当時100人ほどの社員しかいない中小企業のJBSが受注することができたのでしょうか。社員数7000人のJ-フォンとは社格が完全に釣り合いません。ジョン・ダーキン氏によってＪＢＳに白羽の矢が立ったのは、ナイキ時代から知っている牧田氏に絶大な信頼を寄せていただけではなく、他に出来る会社がなかったという事情もありました。

２００１年ごろの日本の企業はMicrosoft Exchangeではなく、他のメールシステムを主に利用しており、特にロータスNotes※は、１９９０年代から２０００年代初頭にかけて、企業のグループウエア市場で主要な地位を占めていました。

つまり、当時の日本のＩＴ関係者にとってExchangeはあまり知られていない存在であり、そのため取り扱えるシステムインテグレーターが少なかったのです。実際、ジョン・ダーキン氏が問い合わせた会社は、全て「できない」という回答を返してきたそうです。その点、早い段階からマイクロソフト製品を扱っていたＪＢＳは、規模こそ大きくはありませんでしたが、ロータスNotesからマイクロソフトExchangeへの移行はかなりの数をこなしていました。ノウハウの蓄積が十分あったのです。

※ 電子メール、スケジュール管理、文書共有など、さまざまな機能を組み合わせて利用できるグループウエアソフトウエア製品。ロータス社が開発しのちにIBMが買収、現在はHCL Technologies社が提供している。

あとはビッグスケールに対応できるかどうかだけが課題でしたが、「大変ではあるが、やれなくはない」と牧田氏は考えました。そこに確たる根拠はなく、「お客さまがどうしてもやりたいというならやるしかない」という意気込みだけでした。

移転の期限は2002年4月、システムの統合期限は2002年8月と決まりました。ジョン・ダーキン氏から牧田氏へのホットラインが2001年の末でしたので、作業に許された時間はほとんどありません。しかも、複雑な事情がこの移転プロジェクトをさらに困難なものにしていました。

移転プロジェクトのリーダーを任されたJBS社員のSさんいわく、「突然外資系企業の傘下になり、プロジェクトが終わったら自分の立場はどうなるのか分からないというお気持ちがあったのでしょう。先方のシステム担当の方々の協力を得るには非常に難しい状況でした。しかも、実務を担当するのはどこの馬の骨か分からない中小企業。気持ちはよく理解できました」。

それでも、請け負ったからにはやるしかないと、Sさんは社内からかき集めたエンジニア十数人とともに、JBSにとっては過去最大級といえるビッグプロジェクトに挑みました。

オフィスのシステム移転に際しては、まず、サーバー、パソコン、電話機などのハードウエアが、どこに何台設置されていて、どのように接続されているかという現状を把握する必要がありました。しかし、通常の方法で依頼しても、その情報は現場の社員からは得られませんでした。

現場から情報が得られなかった理由は、他にもあります。当時携帯電話事業会社は拡大しており、Ｊ-フォンも例外ではなく、現場の判断でさまざまな配線を行い、独自のシステムを構築していました。それらはすでに管理不能であり、Ｓさんによればカオスと言える状態でした。つまり、システム全体の概要を正確に把握している人が、現場には一人もいなかったのです。

そこで、メンバーは役割分担して、３つのオフィスに毎日足を運びました。それぞれの部門の担当者にアポイントを取り、「すみません、少しお話を伺わせていただけますか？」と尋ね、使用している機器やルーターに関する情報を、「これはルーターですよね？　お手数ですが、回線番号だけメモさせていただいてもよろしいですか？」といった質問をしながら、まるで探偵のように地道に情報収集を行ったのです。

フリーアドレスが当たり前の今のオフィスでは考えられない作業もたくさんありました。例えば固定電話に関する作業です。当時は全座席に固定電話を設置するのが基本で、愛宕グリーンヒルズの新オフィスでも合計約１８００台を設置することになりました。無事設置を終え、いよいよ翌日から社員の荷物が入ってくるという日の夜、突然、搬送によるホコリなどで汚れないよう全ての電話機にカバーをかける作業を行わなければならなくなったのです。

搬入開始まであと半日しかありません。しかも夜を徹しての作業となります。今ならコンプライアンス的にレッドカードですが、Sさんには不思議と悲壮感はありませんでした。「その時の当社の規模からしたら、Ｊ-フォンのような有名企業から仕事をもらえるだけでもすごいこと。自分たちがこんな大きな仕事を受けていいのかと思ったほどで、むしろやりがいの方が大きかった」からです。

結局、外部委託業者の協力も仰ぎながら、朝までに１８００台全ての電話機にカバーをかける作業を終えることができました。

現在は、いつでもどこでもコンピューターサーバーにアクセスできるクラウドになったため、このような大掛かりな引っ越し作業は不要になりました。平成の時代ならではのプロジェクトだったと言えるでしょう。

銀行員だった人気作家との縁

Ｊ－フォンの引っ越しプロジェクトを無事成功させたことで、業界内に「ＪＢＳはマイクロソフト系のシステムに強い」「大規模な移転ができる」「メールシステムの統合が得意」といったイメージが広がりました。また、全体的にロータスNotesからマイクロソフトExchangeへ移行する会社が増えてきたことで、ＪＢＳに次々と案件が舞い込むようになったのです。

そのなかで一、二を争う大きさだったのが、２００４年に受注したメガバンクの全メールシステムをロータスNotesからマイクロソフトのExchangeに切り替えるというプロジェクトです。これは、J-フォン案件を何とかこなしたJBSにとっては、さらなる困難が伴う巨大プロジェクトでした。

まずはメールのユーザー数です。J-フォンが約7000人だったのに対して、メガバンクは約5万人。ちなみに2年後の2006年には、他行との合併に伴うシステム統合もJBSが請け負いましたが、その後、金融機関の合併に伴いユーザー数はさらに増えて、約7万人に達しました。ざっとJ-フォンの10倍です。

さらにハードルを高くしたのは、クライアントが日本を代表する金融機関だったということです。セキュリティーに最も厳重な企業のシステムを手掛けることは、JBSのようなシステムインテグレーターにとってみれば、極めてハードルの高い仕事ではあるが、さらなる成長のチャンスです。

このプロジェクトをJBSが引き寄せた理由は2つ考えられます。1つは、J-フォンのプロジェクトを成功させたことで、マイクロソフトのJBS担当が付いたということ。つまりマイクロソフトから信頼できるパートナーとして認められ、そのお墨付きを得ることができたのです。これによる対外的な信用力の増大は、JBSにとって営業上の大きな武器になりました。

もう1つは、このメガバンクとの長年のつきあいです。それは１９９３年、創業から３年ほどたった頃のことです。まだ社員は20人ほどしかいない時でした。しかし会社は少しずつ軌道に乗り始めていて、オフィスは売り物のパソコンを置く場所もない状態でした。「もっと広い事務所を借りなければ」と牧田氏は思ったのですが、残念ながら先立つものがありません。そこで銀行から借りようと思い、たまたま都市銀行に勤めていた学生時代の同期に相談したのです。するとその同期の友人はこう言いました。「我々の先輩で優秀な支店長がいるから相談してみたら」。

牧田氏は、さっそく会社概要を持って、紹介された支店長を訪ねました。

「その頃はまだ銀行との折衝も不慣れで、でも一生懸命説明したのを覚えています。そうしたら当時の支店長が、『この事業は面白いですね』と興味を持って下さり、担当を付けるからと会議室に若い行員を呼んでくれたのです。それが、後に有名作家となる若い銀行員さんでした」

金融界などを舞台とした企業小説を得意とする人気作家です。その若い銀行員に初めて出会った時の印象について、牧田氏は「すぐに私たちの会社について理解してくれて、その場で素早く稟議書を仕上げてくれました。見せてもらったら、ものすごくきれいにまとまっている、と驚いた印象があります」。その稟議書は銀行本部の審査をクリアし、ＪＢＳは晴れて融資を受けることが決まりました。そのおかげで無事新しいオフィスに移ることができたのです。

実はこの時の都市銀行の支店長が、２００４年のメールシステム切り替え時に着任されたメガバンクのＣＩＯ（Chief Information Officer・最高情報責任者）だったのです。

メガバンクのシステム統合を成功させた裏側

このメガバンクのプロジェクトについて、牧田氏は「Ｊ-フォンの時とは異なる困難さがあった」と振り返ります。

当時は現在のようなクラウドはなく、システムを稼働させるためにサーバーやストレージを現実のデータセンターに設置しなければなりませんでした。しかも、５万人の行員が利用するため、非常に多くのサーバーとストレージが必要です。どのメーカーの製品を採用すべきか、現場では非常に難しい選択を迫られました。

もともとこのメガバンクでは、ＩＢＭが提供するロータスNotesをＩＢＭのサーバーで運用していました。しかしマイクロソフトのExchangeに替えることになった以上、通常であれば他社製のサーバーを採用するのが一般的です。しかしＩＢＭにとっては大きな顧客を失うことになります。万が一協力を拒まれるような事態になったら移行作業に大きな障害となります。そのような事態に陥らせないよう絶妙なバランス感覚で差配する必要がありました。

そこでＪＢＳは、メインサーバーとしてＩＢＭ製を採用し、一方でマイクロソフトは自社のソフトウエアが安定して稼働するよう強力に支援しました。ＪＢＳはＩＢＭとマイクロソフトの間に立ち、それぞれのエンジニアの協力を得ながら、システムの移行を進めていくことになったのです。

これだけ聞くと、ＩＢＭとマイクロソフト、新旧の巨人に挟まれて右往左往する弱小のＪＢＳという構図が浮かび上がります。現場作業は相当困難を極めたかと思いきや、牧田氏は次のように振り返ります。

「幸いにもこのＣＩＯが非常に優れたリーダーシップの持ち主で、トップダウンで全ての指示を下してくれました。そうなると大手銀行は高度に統制された組織なので、伝達はスムーズです。現場では特に大きなトラブルなく、順調に仕事を進めることができました」

牧田氏によれば、このようなシステム統合におけるトラブルは多く、その原因のほとんどは、経営者や権限を持つ人が関係者全員の顔を立てるために責任の所在を曖昧にして進めてしまうこと。しかし、それをしなかったＣＩＯは慧眼であり、またその2年後に行われた他行との合併の時にも、見事な統合を成し遂げました。その決断力はさすがと言わざるをえません。やはりビジネスの世界では強力なリーダーシップがものをいうのです。

日本マイクロソフトのパートナー企業1万社の頂点に

２００４年のメガバンクのメールシステム切り替え、そして２００６年の同行の合併に伴うメールシステム統合、この２つの大きなプロジェクトをやり遂げたＪＢＳに、もう一つ記念すべき実績が加わりました。それが、「マイクロソフト・ジャパン・パートナー・オブ・ザ・イヤー ２００７」の受賞です。

この賞は、日本マイクロソフトの１万を超えるパートナー企業の中から、特に優れた実績を築き上げ、かつ顧客からの厚い信頼を獲得したパートナー企業を表彰するアワードプログラムです。このアワードに参加することになった経緯について、牧田氏はこう語ります。

「マイクロソフトとの協業を進める中で、マイクロソフトの担当者が私たちを目立たせたいと思ってくれるようになりました。マイクロソフトのウェブサイトでＪＢＳの事例が紹介されるようになったのもその頃です。そんな流れの中で『アワードがあるので挑戦しないか』と言われたのです。聞けば1万社以上のパートナー企業の中から厳正な審査を受けて選ばれるそうで、かなりの実績が必要となります。簡単ではないと思いましたが、だからこそ挑戦する価値があると思い、『ぜひ審査を受けさせて下さい』と答えたのです」

数多くの案件の中からアワードに応募する案件として選んだのが、２００６年のExchange導入事例でした。メールサーバーを導入する際、導入先ではユーザー登録管理を行う必要がありますが、企業では部署移動や組織改編が頻繁に行われるため、リストを組み替える作業やアクセス先変更作業などが、非常に煩雑になります。そこでＪＢＳはそうしたユーザー管理を簡易にするサービスを独自に開発。それが、顧客のかゆいところに手が届く画期的なサービスだったことが評価され、見事受賞となったのです。

ちなみに、受賞の2年前の２００５年、ＪＢＳは社員をマイクロソフトの営業インターンとして出向させています。このインターンは、パートナー企業の中でも、これから伸びることが期待される数社の中から選ばれるのが慣例で、その年に選ばれたのはＪＢＳともう1社の2社のみでした。

派遣されたのは当時入社3年目のKさん。当時をこう振り返ります。

「見込み客に対してメールや電話などを活用しながら非対面で行うインサイドセールスの部署に配属されました。しかし電話だけではなかなか商品の魅力が伝わりません。当時はウェブ会議のシステムも普及していませんでしたので、私はマイクロソフトの名刺を携えて直接顧客の元へ営業に行ったのです。当然マイクロソフト製品について誰よりも詳しく説明する必要があります。どのシチュエーションでどのシステムを使用すれば顧客のビジネスが最適化されるか、お客さまの立場、そしてマイクロソフトの立場にも立って製品を説明しなければならない。このようなプレゼンテーションを実践で学ぶことは非常に良い経験になりました」

この経験で得た学びはKさんによってJBSの社内全体にフィードバックされました。その学びとはシステムインテグレーターとしてどのような心構えで営業を行えばよいかというものです。顧客を立て、システムベンダーを立て、そしてもちろん自社をも立てるという三方よしの関係を常に意識することが、マイクロソフト・ジャパン・パートナー・オブ・ザ・イヤー初受賞、そしてその後のJBSの躍進に大きな影響を与えたと筆者は見ています。

リーマン・ショックで取引先消滅の危機

2007年に「マイクロソフト・ジャパン・パートナー・オブ・ザ・イヤー」を初受賞したことで、社内外からの期待が大きく高まったことを牧田氏は実感します。「この賞はずっと取っていかなければいけない」と心に誓い、その通り、翌2008年も受賞します。

しかし、翌２００９年は受賞を逃しています。理由は、この年に目立った新規導入実績がなかったから。それはなぜか。前年の２００８年といえば、リーマン・ショックが起った年でした。

リーマン・ショックとは、アメリカの大手投資銀行リーマン・ブラザーズが破綻したことをきっかけに起きた世界的な金融危機のこと。住宅ローン市場の崩壊が引き金となり、金融市場は大混乱に陥り、世界経済に大きな影響を与えました。日本の企業も漏れなくリーマン・ショックによって大変な被害を受けました。多くの企業が業績の低下やリストラを余儀なくされたのです。

例えば、トヨタ自動車は翌２００９年の決算で４６１０億円の赤字に転落。これは創業期以来のことで、従業員の一部を解雇する措置を取らざるをえませんでした。

ＪＢＳも、大きな影響を受けました。実はリーマン・ブラザーズは、ＪＢＳの創業期からの顧客で、この時の売掛金はなんと1億６０００万円。もちろん破綻によって回収は不可能となりました。他にも、パソコンを卸していた会社が一夜にしてなくなるなど、数多くの直接的損害を被ったのです。

破綻を免れた企業はリーマン・ショックを機に経費削減に取り組み、投資を減少させました。当然社内のITシステムの新規導入も大幅に縮小されることになります。それは、JBSのようなシステムベンダーには大きな痛手でした。また、日本企業におけるExchangeブームが一段落ついた時期と重なったのも不運でした。しかし、マイクロソフト・ジャパン・パートナー・オブ・ザ・イヤー受賞を逃しただけで済んだのは、不幸中の幸いだったのかもしれません。

「他のIT企業の中には、売掛金が回収できずに潰れたり、大手に買収されたりした会社が多くありました。当社は何とか持ちこたえましたが、それでも回復するまで2～3年はかかりました」（牧田氏）

JBSが立ち直ることができたのは、クライアント企業の多くが比較的大手で、屋台骨がしっかりしていたことが挙げられます。それらの企業は、リーマン・ショックという危機を反省材料として、ITを活用した効率化やイノベーションを推進するようになりました。そして、クラウドコンピューティングの登場で、JBSは新たな成長の機会を見いだしました。そうした波にのって業績は徐々に回復し、ついには上場するまでになったのです。

ビジネスにおいて大事なのは、このような想定が難しいトラブルを、反省材料として次に生かすことです。トヨタ自動車はリーマン・ショックで前年比1割5分も生産台数が減り、４６００億円余りの大赤字を出しましたが、コロナ禍ではさらに多い前年比２割減だったにもかかわらず、赤字どころか５０００億の黒字を出しました。リーマン・ショックを契機に、何かあったら迅速に生産調整ができる危機管理体制を強固にしていたからです。

ＪＢＳの場合、物販だけでなく、サービスの販売に重点を置いていきました。つまり、ＪＢＳのノウハウを生かした独自開発のサービスやコンサルサービスを提供していく方向にシフトしていったのです。具体的には、リーマン・ショック後、顧客に代わって運用保守を行うサポートサービス（24時間対応のヘルプデスクなど）の提供を開始しました。こういった運用保守サービスを専門で行っている企業はありましたが、インテグレーターが展開するのは当時非常に珍しいことでした。これが、導入だけでなく、その後の運用保守まで担うという今のＪＢＳのスタイルにつながっていくのです。

第5章

クラウドの過去・現在・未来

クラウドを電気やお金に例えてみる

インターネット上でソフトウエアの起動やデータベース・ストレージ利用などのコンピューター機能を提供するクラウドコンピューティングは、いまや企業にとって業務効率アップや生産性増大に不可欠なサービスとなっています。

「令和3年版　情報通信白書」（総務省）でも、クラウドサービス利用企業が約70％を占め、またクラウドサービスの効果については、「非常に効果があった」または「ある程度効果があった」と回答した企業の割合が87・1％となっています。

クラウドコンピューティングの導入により、自社でソフトウエアやサーバーなどの購入・運用が不要になり、初期投資を抑えられるだけでなく、必要な時にすぐに利用可能という利点は多くの企業や個人が享受しています。

企業におけるクラウドサービスの利用状況

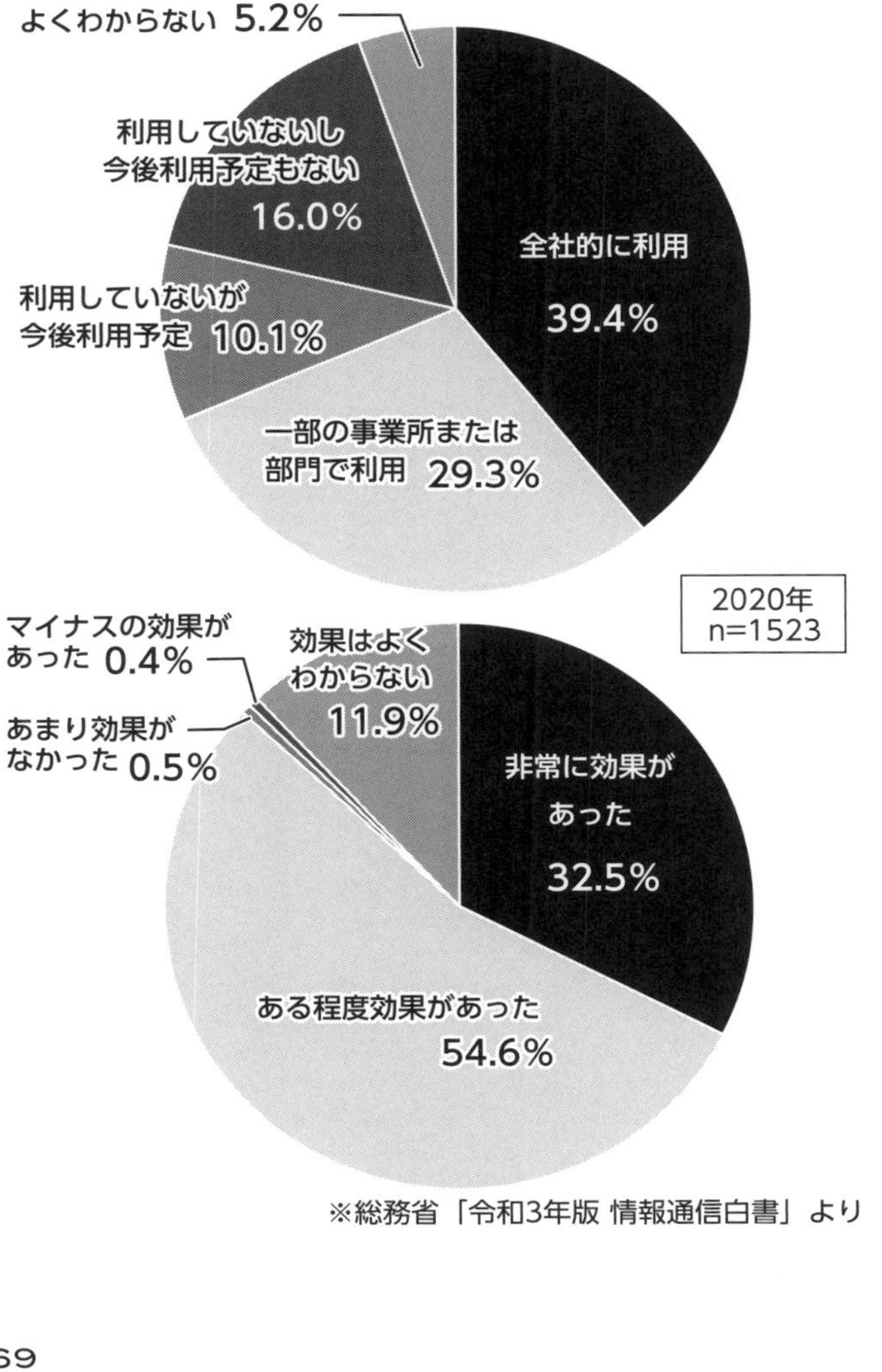

※総務省「令和3年版 情報通信白書」より

しかし、クラウドコンピューティングの本質を正確に把握している人は意外と少ないのではないでしょうか。

そこで、第5章では、日本を代表するクラウドインテグレーターであるＪＢＳの社長・牧田氏に、クラウドコンピューティングについての過去・現在・未来について、率直に話を伺いました。（※敬称略）

――まず、世の中におけるクラウドの位置づけについて教えてください。

牧田　クラウドの前の時代はオンプレミスといって、自社でサーバーを買い、そこにソフトウエアを入れ、さらに自社の業務に合わせたソフトをたくさん作り、それを動かして、端末につないで使うというシステムが採用されていました。

――全て自前で作っていたら、相当効率が悪いですね。

牧田　電気に例えると、会社で使う電気を全て自社で作っているようなものです。実際、大規模な発電所がまだ少なかった時代には、工場ごとに自家発電が設置され、それを使って機械を動かしていました。

――それだと、お金をかけられる工場しか電気を使えませんし、稼働状況によっては、電気が余ったり足りなかったりしそうです。

牧田　はい。そのやり方ではあまりに効率が悪いので、大規模な発電所で電気をまとめて作り、必要な所に必要な分だけ送る、今の電力会社の形が出来上がったのです。

――今では、電気は電力会社が作り、我々は電気を使った分だけお金を払うというやり方が当たり前ですね。

牧田　そのＩＴ版がクラウドです。電力会社はマイクロソフトのようなクラウドベンター、発電所はデータセンター、発電機はサーバー、送電網はインターネット網、そして電化製品がパソコンやスマホというふうに置き換えて考えることができます。

――そうやって例えると非常に分かりやすいですね。

牧田　電力網は社会を支える重要なインフラです。ですから、電気の供給が止まらないよう、発電所のセキュリティーや発電機のバックアップ対策は相当厳重にされています。同じようにいまやインターネット網も社会にとって重要なインフラですから、システムベンダーのデータセンターやサーバーは、外部からのハッキングや地震などの災害に対する備えを万全にしています。これを、それぞれの会社でやろうと思ったら相当な費用がかかります。

――自宅に大きな金庫を置いて、毎晩強盗が来ないかどうか心配しながらお金を管理するより、銀行の金庫に預けたほうが安全で安心できるのと同じですね。

牧田　はい。ですが、インターネットの世界は、数年前までそのような状況だったのです。

――電気やお金の仕組みと比べると、ようやくという段階ですね。クラウドは今どれくらい普及しているのでしょうか。

牧田　全体で見ると、まだ自社のサーバーで動かす仕組みのほうが圧倒的に多いです。会計データなどの中核的なものは、まだクラウドではセキュリティー面で不安だという声があるからです。ただし、Eメールや会議ツールなどオフィスで日常的に使われるものは、クラウドが主流になりました。

――Microsoft 365はその代表的なサービスですね。私もパーソナルプランを利用しています。

牧田　そのように、個人でも気軽にハイレベルなサービスを利用できるのがクラウドの特長です。セキュリティー面も年々強固になっているので、中核的なシステムもどんどんクラウド化が進んでいます。当社では実践してクラウド化を勧めており、今では会社のほぼ全てのシステムがクラウドです。

クラウドはどのように普及した？

――そもそもクラウドという言葉が生まれたのはいつでしょうか。また、一般的に普及し始めたのはいつごろで、どのようなきっかけだったのでしょうか。

牧田　クラウドという概念は、1997年に南カリフォルニア大学のラムナト・チェラッパ氏により提唱されたと言われています。しかし、この段階でクラウドが一般社会に浸透することはありませんでした。

クラウドという概念を世に知らしめたのはグーグルです。2006年に当時のCEOが、「雲のような存在であるサーバー」などと発言したことが、きっかけだとされています。それ以降、さまざまな企業がサービスを提供し始めました。

――どのようなサービスがこれまであったのでしょうか。

牧田　例えば、アマゾンは２００６年に企業向けのクラウドサービスとして「Amazon EC2/S3」の提供を開始しました。その後、グーグルは２００８年に「Google Cloud Platform」を、マイクロソフトは２０１０年に「Microsoft Azure」の提供を開始しました。そう考えると、２０１０年ぐらいが国内におけるクラウドサービス元年と言えるでしょう。

――そうしたクラウドサービスを提供するベンダーには、どんな会社があるのでしょうか。

牧田　今、例に挙げたアマゾン、グーグル、マイクロソフトが３強です。現在の世界ナンバーワンはアマゾンで、「ＡＷＳ（Amazon Web Services）」というサービスがトップシェアです。実はアマゾンはＥＣ（ネット通販）でずっと赤字が続いているのですが、クラウドサービスの利益で赤字を補填していると言われています。

――一般の人にはＥＣの会社というイメージですが、収益の柱は違うのですね。

牧田　はい。ＡＷＳは大手企業から官公庁も使っているメジャーなクラウドサービスです。そして2番手がマイクロソフトです。

――マイクロソフトはWindowsというOSや、WordやExcelというオフィスソフトを販売する会社だと思っていました。

牧田　もちろん今もWordやExcelなどのソフトは販売していますが、利益の柱はそうしたソフトを統合した企業向けのクラウドサービスです。Microsoft365や、Microsoft Azure、Microsoft Dynamics※がそれに当たります。

――第3位がグーグルですね。

牧田　はい。グーグルはクラウドを最初に発信した会社でありながら、ビジネス化は少し立ち遅れた感があります。しかし一般コンシューマーへの浸透度はアマゾンやマイクロソフトの比ではありません。

――どういうことでしょうか。

牧田　例えば、グーグルといえば検索エンジンが代名詞ですが、これも言ってみればクラウドサービスです。スマートフォンに入っている地図アプリも、地図データ自体はクラウドに格納されていて、ユーザーはネット回線を通じて利用しています。YouTubeはGoogleの傘下ですが、これもクラウドサービスと言えます。個人が撮った動画をインターネット上で保存したり、編集したり、再生したりできるのですから、相当な容量のサーバーが準備されています。

――確かに、データベースも地図も動画編集も、一つのスマホやパソコンでやろうと思ったら大変なことになりますね。まず何十万円もするハードを買わなければいけないし、ソフトの進化に応じて買い換えなければなりません。あ、それがオンプレミスということで

※　企業の業務効率化を支援するクラウドベースのビジネスアプリケーションプラットフォーム。ERPやCRMといった基幹業務をはじめ、営業やマーケティングなどのあらゆるデータを分析・統合できる製品。ロータス社が開発しのちにIBMが買収、現在はHCL Technologies社が提供している。

すね。

牧田　はい。その通りです。

――なるほど。そう考えるとクラウドは私たちの身の回りに、結構浸透していたのですね。アマゾン、マイクロソフト、グーグルが3強だということは分かりました。では、日本の企業は何位ぐらいにつけているのですか？

牧田　残念ながらランキング外です。

――それほど順位が低いと。

牧田　低いというか、存在しないので順位をつけられないのです。

――どういうことでしょう。

クラウドサービスの形式

SaaS (Software as a Service)	メールソフト、オフィスソフト、顧客情報管理ソフトなど利用できる
PaaS (Platform as a Service)	アプリケーション開発が可能な環境を提供する
IaaS (Infrastructure as a Service)	ストレージやサーバーなど、基本的なインフラ部分だけを利用できる

主なクラウドサービス

AWS (Amazon Web Services)	クラウドコンピューティングのデファクトスタンダードで、200以上のサービスを提供。世界的シェア39%でIaaSの1位。顧客中心のイノベーションで開発され、コンピューティングからAI・IoTまで幅広い分野のITインフラを構築可能。数百万人が利用中。
Microsoft Azure	マイクロソフトが提供するクラウドコンピューティングで、PaaS・IaaSを含む100以上のサービスを提供。世界シェア21%で2位。多くのプログラミング言語、ツール、フレームワークが利用可能で、幅広い開発者に対応。
GCP (Google Cloud Platform)	Googleが提供するクラウドコンピューティングで、世界シェア10%の3位。Google検索やYouTubeと同じインフラを利用し、コンピューティング、データストレージ、機械学習などのサービスが揃っている。

牧田　日本にはアマゾン、マイクロソフト、グーグルと同様のクラウドベンダー企業はいません。

――それは予想外の答えです。日本人としてショックです。

牧田　残念ながらそれが現実なのです。日本の場合、既存のビジネスが大きいので十分事業が成り立っています。クラウド化しなくても、大手企業や官公庁は従来のオンプレミス上のシステム構築が中心のため、クラウドのメリットをあまり感じていないのです。むしろ、クラウド利用のリスクを考えてしまうほうが先に立ってしまいます。

――しかし、そんなことを言っていられない時代になってきていますよね。

牧田　そうですね。しかし、マイクロソフトやアマゾンのような規模のサービスを日本企業はそう簡単には展開できません。このグローバル時代に、日本国内だけ独自の規格でクラウド化しても仕方ないというのもあります。海外にも展開していけるプラットフォーマーが日本には存在していないというのが正直なところです。

クラウドインテグレーターの仕事とは

――そうした流れの中で、ＪＢＳはどのようにクラウドにシフトしていったのでしょうか。

牧田　オンプレミスで稼働していたマイクロソフトのサービスを、クラウドに移行するというのが最初の仕事でした。マイクロソフトの戦略変更に伴った形ですが、その分どのシステムインテグレーターより早くクラウドのノウハウを得ることができました。

――ＪＢＳは、数年前からクラウドインテグレーターと名乗っていますが、システムインテグレーターとどう違うのでしょうか。

牧田　今度は家に例えてみましょう。従来のシステムインテグレーターは、現場で家を作るハウスメーカーに例えられます。

――エンジニアはさしずめ大工さんという感じですね。

牧田　そうです。一方、クラウドインテグレーターは家を建てません。賃貸マンションをお客さまに紹介する不動産コンサルトのイメージです。

――不動産会社ですか。建築会社とは似ているようで全く違う業態ですね。

牧田　ただし普通のマンションではありません。家族構成や生活スタイルによって、部屋の大きさや間取りを自由に変えられる魔法のマンションです。例えば、今は子どもが１人だから50平方メートルの１ＬＤＫでいいけれど、子どもが２人になったから70平方メートルの２ＬＤＫに変えようということができます。しかもそのために引っ越しする必要がなく、毎月の支払いを少し増やすだけでＯＫ。まさに夢のようなマンションです。

――それはすごいですね。となると、エンジニアはその夢の賃貸マンションを売る不動産会社の営業マンということですか。

牧田　そうなります。それがクラウドインテグレーターです。

――しかし、一度クラウドにすれば、ハードウエアやソフトウエアを入れ替えるという物理的な作業は必要なくなります。ベンダーは月々の利用料で利益を得られますが、システムを構築することが主な仕事であるインテグレーターとしては、売り上げが立たなくなるのではないですか。

牧田　たしかに、インターネットにつなげばいつでも最新のソフトウエアが使えるのですから、コンピューターを販売してその構築をしたり、ソフトウエアを入れ替えたりという仕事は確かに激減しました。しかし、それがなくなった分、「その先の仕事」ができるようになりました。

――「その先の仕事」とはどのような仕事ですか？

牧田　クラウドを導入するということはきっかけに過ぎません。クラウドによって、顧客企業にどのようなメリットがもたらされるかが大事なのです。クラウドによってもたらされるメリットの代表例がＤＸ（デジタルトランスフォーメーション）です。クラウドによって、お客さまの会社の業務をＤＸして効率化することができれば、それに比例してコストが下がったり、売り上げが上がったりというメリットがあるのですが、効率化すべきポイントは会社によって違います。そうなると、使うべきクラウドサービスも変わってきます。そこをしっかりとヒアリングし、どんなサービスの組み合わせが最大の効果を発揮するのか見極め、それをお客さまの予算に合わせて提案する、そして導入した後もパートナーとして伴走し、将来にわたって成長をサポートする。それが「その先の仕事」です。

――なるほど。以前はシステムを作る仕事で手いっぱいだったけれど、クラウドになることで仕組みづくりにはさほど時間と手間がかからなくなった、その分顧客満足につながる仕事に多くのリソースを振り向けることができるようになったということですね。

従来のシステムインテグレーター
注文住宅を建てるハウスメーカー

クラウドインテグレーター
要望にピッタリの賃貸マンションを紹介する
不動産コンサルタント

牧田　その通りです。以前は家を建てるのに精いっぱいで、その先の暮らしにまで我々はタッチできなかったのですが、今はそこに本腰を入れて取り組むことができています。そもそも人が家を買うのは、建てるのが目的ではなくて、そこで豊かな生活を送るためです。ようやく本来の仕事ができるようになったというのが実感です。

――少し語弊があるかもしれませんが、作業着を着て家を建てていた大工さんが、急にスーツとネクタイに着替えて顧客にライフスタイルの提案を始めたというようなイメージですね。

牧田　そうかもしれませんね。これからのエンジニアはそうあるべきです。お客さまからどんなふうに暮らしたいのかをお聞きして、例えば友達を多く呼びたいならこれくらいの広さが必要だとか、ゆっくりくつろぎたいなら防音も考えて壁はどれくらいの厚さが必要だとか、お客さまに適した機能を組み合わせてご提案するのがこれからのクラウドインテグレーターの仕事になってくるはずです。

――具体的には、どのように仕事のやり方が変わったのでしょうか。

牧田　今は壁や柱を最初から作ることは必要ありませんので、ある程度出来上がったものを組み立てればＯＫという感じです。高度なプログラミングスキルは以前より必要なくなりました。

――誰でもできるようになったと？

牧田　そうは言い切れません。やはりある程度の知識がないと、システムの構造が理解できませんし、お客さまになぜそれが必要なのか説得力のある説明はできないからです。プログラミングの技術や知識に加え、お客さまの事業に対する理解力、また分かりやすく説明する提案力も必要になったと言えると思います。

――そういった人材になるには、何が必要でしょうか。

牧田　まずは好奇心が必要でしょう。どんなことにも興味を持って、新しい技術を積極的に学び、そうやって得た知識や経験を自分なりに組み合わせてお客さまに提案してみる。そういうことができる人が、これからのクラウド業界では伸びていくと思います。もう一つは共感力です。お客さまの会社のビジョンや日々の業務にどれくらい自分事として寄り添っていけるかが、大事になってくるでしょう。

――まさにカスタマーファーストですね。

今のクラウドはまだ2合目

――ここまでクラウドの過去と現在についてお伺いしてきました。ここからはクラウドの未来についてお聞きします。牧田社長にはクラウドの未来像、あるいは到達点のようなも

のは見えていらっしゃいますか。

牧田　おぼろげながら見えています。

――その到達点を山頂に例えると、現在のクラウドは何合目まで来ているでしょうか。

牧田　２合目くらいですね。

――まだそんなものですか！

牧田　もしかしたら、２合目にもいっていないかもしれません。

――では残りの８合で、クラウドはどのように進化していくと思いますか。

牧田　先に申し上げた通り、オフィス系のソフトはほぼクラウドになっています。ですが、売り上げや在庫管理、会計などの基幹業務ソフトは、いまだに自社のデータセンターで運用している企業が多いのです。その部分が近い将来、全面的にクラウドに移行していくでしょう。そうなれば、普及のスピードは格段にアップすると思います。5年後には5合目あたり、10年後には7合目か8合目くらいのところまでいくはずです。

——頂上は、全てのシステムがクラウドになったときですか。

牧田　さすがに全てのシステムがクラウドにはならないと思います。例えば、金融機関や保険会社の勘定系システムをクラウドサービスに移行するのは極めて困難です。またオンプレミスが向いているシステムもあり、クラウドとオンプレミスを組み合わせたハイブリッド型が主流となっていくでしょう。せいぜい全体のリソースの8割以上がクラウドにシフトしたら、そこが到達点といえるでしょう。その時クラウドの新時代が始まると思います。

クラウドの到達点は遠い

――クラウドの新時代はどのような世の中になると思いますか。

牧田　ものすごく効率よくデジタルが使える世の中になっていると思います。例えば、税金の徴収といった官公庁のサービスは全てデジタル化されるでしょう。そうなると役所の窓口業務が減るので、役所で働く方は住民サービスのためにもっと時間が割けるようになると思います。

――より暮らしやすい世の中になりそうですね。

牧田　はい。そう願っています。

2030年には誰もが知っている会社に

――将来のIT業界を担う若い人もこの本を手に取ってくれていると思います。今後、どのような心構えが必要になってくるか教えて下さい。

牧田　先にも述べましたが、好奇心を持って、いろいろな知識を身に付けたり、自分で作ってみるなどの実践を重ねることが最も自身の成長につながります。そして、早く失敗を経験することです。うまくいかないということを身を持って体感し、それを克服することで初めてノウハウは身に付くのですから。

――いわば失敗力ですね。本田技研工業創業者の本田宗一郎さんは、「私の最大の光栄は、一度も失敗しないことではなく、倒れるごとに起きるところにある。」という言葉を残し

ています。

牧田　そのような失敗と克服の経験を、日常的な仕事の中で回していくということです。何事もなくスムーズにいくのが一番良いと思いがちですが、失敗からでしか学び取れないことが多くあります。失敗してもやり直しが利きやすいのが、クラウド時代の良いところでもあります。

――そうやって成長した人材が、世の中全体を発展させていくわけですね。会社にとってもそうだと思いますが、人材こそ資源だと思いますか。

牧田　はい。強くそう思います。当社は競争力の源泉の一つに「人的資本」の醸成を掲げています。だからこそ、ＪＢＳでは研修制度や、社員食堂、社員住宅に力を入れているのです。それらは単なる福利厚生ではなく、投資だと思っており、結果として社員のエンゲージメント向上につながっています。

――工場を持たないインテグレーターとしては、物ではなく人に資本投下するという考えですね。最後に未来の人材にメッセージをお願いします。

牧田　我々の会社が今いる位置は、理想の姿を山頂だとするとまだ3合目です。ただし２０２２年に上場し、少しは世の中に認知され、外部からリソースを集められる状況になりました。今後、さらに成長を第一に考え、その速度を上げていくつもりです。宇宙船に例えれば、我々はロケットの発射台に乗ったばかりです。これからエンジンに火をつけて、第１ロケットを発射して、３年後には次のロケットに点火する予定です。そして、ぐんぐん飛躍して、２０３０年には世の中のほとんどの人がＪＢＳを知っている、そんな宇宙に到達できるよう頑張りたいと思います。

――２０３０年までに可能ですか？

牧田　大丈夫です。そのためにロケットの燃料となる人材育成にこれからも一層力を入れていきます。我社は若い人に優先的に最新のテクノロジーを体験させることをモットーとしています。若い人は吸収力がすごいので、2、3年もすれば優秀なエンジニアかつ営業として大活躍するでしょう。そういう人材を惜しみなく現場にデビューさせ、お客さまから「JBSの社員はすごいね」と言われるのを今から楽しみにしています。

——私も楽しみにしています。本日はありがとうございました。

牧田　ありがとうございます。

採用

新卒採用目標	キャリア採用目標
200名程度/年	100名超/年

成長に向けた仕組みづくり

人材ポートフォリオ	上流設計・アプリ開発・セキュリティー領域の人材強化
エンゲージメント	低離職率の維持（2023年9月期：5.9%）
Diversity & Inclusion	女性管理職登用に向けた具体的計画の策定（2026年3月まで） ①女性管理職目標:課長級の女性割合20%引き上げ ②男性育休取得率目標:産後1年以内の取得割合100%

人事施策（ソフト）

- オンボーディング
- 階層別研修制度
- ヘルスケアアプリ導入
- ブラザーシスター制度
- 資格取得推奨制度
- アルムナイ制度
- 豊富なEラーニング

福利厚生（ハード）

Lucy's

トレーニングセンター

社宅

おわりに

変化の時代のコンパス

新潟県十日町市の「星峠の棚田」に筆者が向かったのは、2022年の11月の末でした。例年なら積雪のため通行不能になっていてもおかしくありませんでしたが、暖冬のせいか雪はまだ降っておらず、レンタカーで峠の頂まで難なく行くことができました。たどり着くと、眼下に大小さまざまな水田がまるで魚の鱗のように広がっていました。日の光をまぶしく反射させる水鏡の美しさはさすが全国屈指の景勝地です。そしてその静けさ。農閑期なので作業をする人は誰もいません。午前中のためか観光客の姿も皆無です。聞こえてくるのは風と水の音だけ。圧倒的な静寂に包まれ、思わずその場に立ちすくみました。

なぜ、この星峠に来たのかというと、ＩＴ業界注目の経営者・牧田幸弘氏の心の内をの

星峠の棚田

ぞいてみたかったからです。この星峠の棚田は、牧田社長が幼少期に毎日のように眺めた景色です。牧田氏はこの峠の麓に位置する星峠集落に生まれ、集落の入り口にあった峠小学校に通い、高校卒業までここで暮らしました。現在その峠小学校は廃校になり、わずかに残された小さな木造校舎だけが当時の面影を伝えています。

朴訥《ぼくとつ》でありながら、芯には熱いものがある——インタビューを通じて感じ取った牧田氏のメンタリティーが、もしかしたら生まれ故郷で育まれたものかもしれないと思ったのは、出身地について聞いた時でした。雪深い新潟県十日町市。実は筆者も同じ新潟県の出身なのです。場所こそ離れていますが、冬のあいだ雪に埋もれて過ごす雪国の人間の気質はよく分かります。時に寡黙であるとか、我慢強いとか評される一方で、頑固な面があることも。

もちろん、生まれ故郷に来たからといって、その人の心の内全てを理解することは不可能です。しかし同じ景色、同じ空気、同じ音に触れることで、共通の肌感覚のようなものを掴むことができるのではないかと考えました。そして実際に生まれ故郷に訪れてみて感じたのは、大きな自然の摂理の存在でした。

牧田氏の経営者としてのこれまでを一言で表すと、自然体ではないかと思います。決して楽をしてきたということではありません。大きな流れに身を任せてきたという意味です。例えばＪＢＳを創業してすぐ外資系の企業に集中的に営業をかけたのは、ＩＢＭのＯＢから紹介された縁を生かしたのがきっかけでした。また２０００年代に大手携帯電話会社やメガバンクのビッグプロジェクトを立て続けに受注したのも、人間関係を大切に紡いできた結果です。そうした縁や人間関係は、偶然の産物だという人もいます。しかし、牧田氏の凄さは、そうした偶然性を必然性に変え続けてきたところにあります。

必然が続けばそれは天命になります。では牧田氏の天命は何か。それは「人のため」ということではないでしょうか。牧田氏は創業してから顧客ファースト、社員ファーストを貫いています。前述したビッグプロジェクトも、結局は他に手がけられる会社がなくて困っていた顧客のためでした。株式上場したのも顧客の期待に応えたいがためです。そして社員食堂や社宅制度はもちろん社員のためです。

さまざまな「人のため」がやがて「自分のため」になることを、牧田氏は経験として知っていたのだと思います。それは自然の摂理です。そんなことを、十日町市の棚田を見ながらふと考えました。

いま、人的資本経営という言葉が注目されています。人を材料ではなく、財産とみなし、その育成に力を入れるという経営理念です。しかし、言葉だけで結局会社のために人を使うというのでは換骨奪胎《かんこつだったい》です。大事なのは「人のため」という意識です。見返りを求めず、とにかく社員や取引先のために尽くす、それが回り回って会社のためになる、そんなシンプルな思想の元で行われる経営こそが、真の人的資本経営と言えるのではないでしょうか。

私はこれまで数多くの企業経営者をインタビューし、サステナビリティーの取り組みなども取材してきましたが、ＪＢＳは人的資本経営のお手本だと思っています。それを多くの人に伝えたいと思ったのがこの本を企画したきっかけです。

いま、世界が大きな変化の渦の中にあります。そうした変化の時代に必要なのは、詳細な地図ではなく、進むべき方向を示すコンパスです。自分は一体どこに向かって進めばいいのか、その答えを探している全ての人に、この本が小さなコンパスになることを祈って、筆を置くこととします。

付録

1990年代のJBS

1990年10月 東京都港区芝に日本ビジネスシステムズ㈱設立

1997年9月 米国現地法人としてJAPAN BUSINESS SYSTEMS TECHNOLOGY 設立

港区芝の三田奥山ビル2階で創業

1992年

日本初ISPサービス開始

1994年

Yahoo! 誕生

1995年

Javaの登場

Amazon.com サービス開始

PHSサービス開始

米マイクロソフト社、「Windows95」「Internet Explorer 1.0」発表

1996年

Yahoo! JAPAN サービス開始

NTTの接続サービス「OCN」開始

1997年

Google検索登場

2000年代のJBS

2000年6月 東京都港区芝公園に本社移転
2004年6月 JBSテクノロジー㈱設立
2005年5月 ISO／IEC27001（旧BS7799）認証取得
2006年4月 ネットワンシステムズがJBSテクノロジーに資本参加、日本テレビとの合弁で㈱日テレITプロデュースを設立
2007年12月 マイクロソフト・ジャパン・パートナー・オブ・ザ・イヤー 2007受賞
2008年10月 マイクロソフト・ジャパン・パートナー・オブ・ザ・イヤー 2008受賞
2009年4月 ㈱アイヴィスソリューションズと資本・業務提携
6月 ㈱アイヴィスソリューションズからJBSソリューションズ株式会社に社名変更
10月 JBSソリューションズ㈱を100％子会社化

1999年
NTTドコモが「iモード」サービス開始
2ちゃんねる開設
NTT分割・再編成

2000年
NTT東西によるISDN定額通信サービス
KDDIの誕生
windows 2000 Server発表
フレッツADSLの本格提供開始

2001年
Wikipediaプロジェクト始動
米マイクロソフト社が「Windows XP」を発売

2004年
Facebook誕生
NTT東日本・西日本が「ひかり電話」サービス開始

2005年
YouTube設立

2010年代のJBS

2010年9月　マイクロソフト・ジャパン・パートナー・オブ・ザ・イヤー　2010受賞

2011年5月　HPパートナーアワード　2010受賞

2012年2月　IBMエクセレントパートナーアワード受賞

4月　西日本事業所を開設

7月　中部事業所を開設

10月　シンガポールに現地法人を設立

11月　上海に現地法人を設立

2013年8月　ドットコムサービス㈱を100%子会社化

9月　持株会社として㈱JBSを設立

マイクロソフト・ジャパン・パートナー・オブ・ザ・イヤー　2013受賞

2006年

Amazon Web Services（AWS）サービス開始

Twitter設立

「ニコニコ動画」サービス開始

2008年

iPhone発売

Twitter日本語版公開

2009年

Microsoft BPOS（現Microsoft 365）開始

2010年

Microsoft Azure開始

2011年

「LINE」サービス開始

東日本大震災発生。首相官邸が「Twitter」の公式アカウントを開設

2012年

首相官邸が「LINE」の公式アカウントを開設

2014年2月　㈱三菱総合研究所、三菱総研DCS㈱と資本業務提携
6月　メキシコに現地法人を設立
8月　東京都港区虎ノ門に本社移転
9月　マイクロソフト・ジャパン・パートナー・オブ・ザ・イヤー　2014　2部門受賞
2015年1月　ISO20000認証を取得
8月　JBSテクノロジー㈱を100%子会社化
JBS虎ノ門ヒルズオフィスが日経ニューオフィス賞のクリエイティブ・オフィス賞を受賞
9月　マイクロソフト・ジャパン・パートナー・オブ・ザ・イヤー　2015　3部門受賞
10月　持株会社である㈱JBSを吸収合併
JBSテクノロジー㈱がドットコムサービス㈱を吸収合併
2016年5月　沖縄事業所を開設
6月　プライバシーマーク取得
7月　九州事業所を開設
8月　マイクロソフト・ジャパン・パートナー・オブ・ザ・イヤー　2016　2部門受賞
10月　JBSトレーニングセンター開設
2017年2月　香港に現地法人を設立
8月　マイクロソフト・ジャパン・パートナー・オブ・ザ・イヤー　2017受賞
12月　㈱ヴァンテルシステム100%子会社化

2013年
首相官邸が「Facebook」に公式ページを開設
フリマアプリ「メルカリ」リリース

2014年
サイバーセキュリティ基本法成立

2015年
Apple Watch発売
音楽配信定額サービス本格化

2016年
Pokemon Goが日本国内でもリリース

2019年
世界初となるスマホ対応5Gサービスが各国で提供開始

２０１８年６月　マイクロソフト・カントリー・パートナー・オブ・ザ・イヤー　２０１８受賞
８月　マイクロソフト・ジャパン・パートナー・オブ・ザ・イヤー　２０１８受賞
２０１９年４月　子会社であるＪＢＳテクノロジー㈱、㈱ヴァンテルシステム、ＪＢＳソリューションズ㈱を吸収合併
８月　北海道事業所を開設
マイクロソフト・ジャパン・パートナー・オブ・ザ・イヤー　２０１９受賞

２０２０年代のＪＢＳ

２０２０年８月　マイクロソフト・ジャパン・パートナー・オブ・ザ・イヤー　２０２０受賞
Dell Technologies Japan EXCEPTIONAL Partner 受賞
２０２１年６月　HPE Japan Rising Star of the Year 受賞
マイクロソフト・ジャパン・パートナー・オブ・ザ・イヤー　２０２１受賞
２０２２年４月　Azure Expert マネージドサービスプロバイダー（MSP）認定
７月　マイクロソフト・ジャパン・パートナー・オブ・ザ・イヤー　２０２２　２部門受賞
８月　東京証券取引所スタンダード市場に上場

２０２０年
ＷＨＯが新型コロナウイルス感染症のパンデミックを宣言

２０２１年
デジタル庁発足

12月　㈱ネクストスケープを100%子会社化

2023年6月　マイクロソフト・ジャパン・パートナー・オブ・ザ・イヤー　2023　2部門受賞

2024年5月　虎ノ門ヒルズステーションタワーに本社移転

取材・執筆

いからしひろき

新潟県出身。20年以上にわたってフリーライターとして活動。旅、食、人物インタビューを得意とし、日刊ゲンダイなどの新聞・雑誌、ウェブメディアなどで執筆。2023年6月にライターズオフィス「きいてかく合同会社」を設立。著書に「開運酒場」「東京もっこり散歩――街中のふくらみを愉しむ」（いずれも自由国民社）がある。

なぜ最先端《さいせんたん》のクラウド企業《きぎょう》は、
日本一《にほんいち》の社員食堂《しゃいんしょくどう》をつくったのか？

2024年4月9日　第1刷発行

取材協力　牧田《まきた》幸弘《ゆきひろ》

取材・執筆　いからしひろき

発行者　寺田俊治

発行所　株式会社日刊現代
〒104-8007　東京都中央区新川1-3-17　新川三幸ビル
電話　03-5244-9600

発売　株式会社講談社
〒112-8001　東京都文京区音羽2-12-21
電話　03-5395-3606

印刷・製本　中央精版印刷株式会社

装幀デザイン　井上新八

本文デザイン　華本達哉（株式会社aozora）

定価はカバーに表示してあります。落丁本・乱丁本は、購入書店名を明記のうえ、
日刊現代宛にお送りください。送料小社負担にてお取り替えいたします。

ISBN978-4-06-534094-4